*Aider le*
*des re*

*Apporter au touriste à Paris*
*une information fiable et complète*
*pour son séjour et ses repas.*

*Tel est le double service*
*que vise la nouvelle présentation*
*de cette plaquette annuelle,*
*extraite du Guide Rouge FRANCE,*
*à travers sa sélection d'adresses*
*à tous les prix.*

*Merci de vos appréciations*
*et de vos suggestions.*

**PNEU MICHELIN**
46, Av. de Breteuil, 75324 PARIS CEDEX 07
Tél. (1) 45 66 12 34 - Fax : (1) 45 66 11 63

Sommaire

# Comprendre

CATÉGORIES

AGRÉMENT ET TRANQUILLITÉ

INSTALLATION

LES ÉTOILES

LES PRIX

Ce guide vous propose une sélection d'hôtels et restaurants établie à l'usage de l'automobiliste de passage. Les établissements, classés selon leur confort, sont cités par ordre de préférence dans chaque catégorie.

## CATÉGORIES

| | | |
|---|---|---|
| | Grand luxe et tradition | |
| | Grand confort | |
| | Très confortable | |
| | De bon confort | |
| | Assez confortable | |
| M | Dans sa catégorie, hôtel d'équipement moderne | |
| sans rest. | L'hôtel n'a pas de restaurant | |
| | Le restaurant possède des chambres | avec ch. |

## AGRÉMENT ET TRANQUILLITÉ

Certains établissements se distinguent dans le guide par les symboles rouges indiqués ci-après. Le séjour dans ces hôtels se révèle particulièrement agréable ou reposant.

Cela peut tenir d'une part au caractère de l'édifice, au décor original, au site, à l'accueil et aux services qui sont proposés, d'autre part à la tranquillité des lieux.

| | |
|---|---|
| à | Hôtels agréables |
| à | Restaurants agréables |
| « Jardin » | Élément particulièrement agréable |
| | Hôtel très tranquille ou isolé et tranquille |
| | Hôtel tranquille |
| ← Notre-Dame | Vue exceptionnelle |
| ← | Vue intéressante ou étendue |

# INSTALLATION

Les chambres des hôtels que nous recommandons possèdent, en général, des installations sanitaires complètes. Il est toutefois possible que dans les catégories 🏠🏠 et 🏠, certaines chambres en soient dépourvues.

| | |
|---|---|
| **30 ch** | Nombre de chambres |
| \|$\updownarrow$\| | Ascenseur |
| ▤ | Air conditionné |
| TV | Télévision dans la chambre |
| 🚭 | Établissement en partie réservé aux non-fumeurs |
| ☎ | Téléphone dans la chambre relié par standard |
| ☎ | Téléphone dans la chambre, direct avec l'extérieur |
| ♿ | Chambres accessibles aux handicapés physiques |
| ⛱ | Repas servis au jardin ou en terrasse |
| 🚲 | Salle de remise en forme |
| 🏊 🏊 | Piscine : de plein air ou couverte |
| 🌳 | Jardin de repos |
| 🎾 | Tennis à l'hôtel |
| 25 à 150 | Salles de conférences : capacité des salles |
| 🚗 | Garage dans l'hôtel (généralement payant) |
| P | Parking réservé à la clientèle |
| 🐕 | Accès interdit aux chiens (dans tout ou partie de l'établissement) |
| Fax | Transmission de documents par télécopie |
| *Fermé 3 août-15 sept.* | Période de fermeture, communiquée par l'hôtelier<br>En l'absence de mention, l'établissement est ouvert toute l'année. |

# LES ÉTOILES

Certains établissements méritent d'être signalés à votre attention pou
la qualité de leur cuisine. Nous les distinguons par **les étoiles de bonn
table.**

Nous indiquons, pour ces établissements, trois spécialités culinaire
qui pourront orienter votre choix.

✿✿✿ **Une des meilleures tables, vaut le voyage**

Table merveilleuse, grands vins, service impeccable, cadre élégant... Prix e
conséquence.

✿✿ **Table excellente, mérite un détour**

Spécialités et vins de choix... Attendez-vous à une dépense e
rapport.

✿ **Une très bonne table dans sa catégorie**

L'étoile marque une bonne étape sur votre itinéraire.

Mais ne comparez pas l'étoile d'un établissement de luxe à prix élevés ave
celle d'une petite maison où à prix raisonnables, on sert également un
cuisine de qualité.

# LES PRIX

es prix que nous indiquons dans ce guide ont été établis en automne 994. Ils sont susceptibles de modifications, notamment en cas de ariations des prix des biens et services. Ils s'entendent taxes et ervices compris. Aucune majoration ne doit figurer sur votre note, sauf ventuellement la taxe de séjour.

es hôtels et restaurants figurent en gros caractères lorsque les ôteliers nous ont donné tous leurs prix et se sont engagés, sous leur ropre responsabilité, à les appliquer aux touristes de passage porteurs e notre guide. En dehors de la saison touristique et des périodes de alons, certains établissements proposent des conditions avantageuses, enseignez-vous lors de votre réservation.

*ntrez à l'hôtel le guide à la main, vous montrerez ainsi qu'il vous onduit là en confiance.*

## Repas

| | |
|---|---|
| enf. 65 | Prix du menu pour enfants |
| ◆ | Établissement proposant un menu simple à **moins de 80 F** |
| | **Menus à prix fixe :** |
| **Repas** 80 (déj.) | 80 (déj.) servi au déjeuner uniquement |
| 100/150 | minimum 100, maximum 150 |
| 100/150 | Menu à prix fixe minimum 100 non servi les fins de semaine et jours fériés |
| bc | Boisson comprise |
| 🍷 | Vin de table en carafe |
| | **Repas à la carte :** |
| **Repas** carte 160 à 310 | Le premier prix correspond à un repas normal comprenant : hors-d'œuvre, plat garni et dessert. Le 2e prix concerne un repas plus complet (avec spécialité) comprenant : deux plats, fromage et dessert (boisson non comprise) |

## Chambres

| | |
|---|---|
| ch 365/620 | Prix minimum 365 pour une chambre d'une personne, prix maximum 620 pour une chambre de deux personnes. |
| 9 ch ☕ 360/750 | Prix des chambres petit déjeuner compris |
| ☕ 40 | Prix du petit déjeuner (généralement servi dans la chambre) |

## Demi-pension

| | |
|---|---|
| 1/2 P 350/650 | Prix minimum et maximum de la demi-pension (chambre, petit déjeuner et un repas) par personne et par jour, en saison. Il est indispensable de s'entendre par avance avec l'hôtelier pour conclure un arrangement définitif. |

## Les arrhes - Cartes de crédit

ertains hôteliers demandent le versement d'arrhes. Il s'agit d'un épôt-garantie qui engage l'hôtelier comme le client. Bien faire préciser es dispositions de cette garantie.

| | |
|---|---|
| AE ⓓ GB JCB | American Express - Diners Club - Carte bancaire (Eurocard, MasterCard, Visa) - Japan Card Bank |

*To help the Parisian make the most*
*of what the capital has to offer.*

*To provide the visitor to the capital*
*with exact and varied information*
*for choosing a hotel or restaurant.*

*These are the services which we hope to provide*
*by publishing this annual booklet*
*- with a new presentation.*
*This extract from the Red Guide France*
*offers a selection of addresses*
*in a wide price range.*

*Your opinions and suggestions*
*are most welcome*
*Thank you.*

# Contents

# How to use this guide

This guide offers a selection of hotels and restaurants to help the motorist on his travels. In each category establishments are listed in order of preference according to the degree of comfort they offer.

## CATEGORIES

| | | |
|---|---|---|
| | Luxury in the traditional style | XXXXX |
| | Top class comfort | XXXX |
| | Very comfortable | XXX |
| | Comfortable | XX |
| | Quite comfortable | X |
| M | In its category, hotel with modern amenities | |
| sans rest. | No restaurant in the hotel | |
| | The restaurant also offers accommodation | avec ch. |

## PEACEFUL ATMOSPHERE AND SETTING

Certain establishments are distinguished in the guide by the red symbols shown below.

Your stay in such hotels will be particularly pleasant or restful, owing to the character of the building, its decor, the setting, the welcome and services offered, or simply the peace and quiet to be enjoyed there.

| | |
|---|---|
| to | Pleasant hotels |
| XXXXX to X | Pleasant restaurants |
| « Jardin » | Particularly attractive feature |
| | Very quiet or quiet, secluded hotel |
| | Quiet hotel |
| ≤ Notre-Dame | Exceptional view |
| ≤ | Interesting or extensive view |

# HOTEL FACILITIES

In general the hotels we recommend have full bathroom and toilet facilities in each room. However, this may not be the case for certain rooms in categories 🏠 and 🏠.

| | |
|---|---|
| **30 ch** | Number of rooms |
| | Lift (elevator) |
| | Air conditioning |
| TV | Television in room |
| | Hotel partly reserved for non-smokers |
| | Telephone in room : outside calls connected by the operator |
| ☎ | Direct-dial phone in room |
| ♿ | Rooms accessible to the physically handicapped |
| | Meals served in garden or on terrace |
| | Exercise room |
| | Outdoor or indoor swimming pool |
| | Garden |
| | Hotel tennis court |
| 25 à 150 | Equipped conference hall (minimum and maximum capacity) |
| | Hotel garage (additional charge in most cases) |
| P | Car park for customers only |
| | Dogs are not allowed in all or part of the hotel |
| Fax | Telephone document transmission |
| *fermé 3 août-15 sept.* | Dates when closed, as indicated by the hotelier<br>Where no date or season is shown, establishments are open all year round |

# STARS

Certain establishments deserve to be brought to your attention for th
particularly fine quality of their cooking. **Michelin stars** are awarde
for the standard of meals served.

For each of these restaurants we indicate three culinary specialities to assist you in your choice.

✿✿✿ **Exceptional cuisine, worth a special journey**

Superb food, fine wines, faultless service, elegant surroundings. One wil
pay accordingly !

✿✿ **Excellent cooking, worth a detour**

Specialities and wines of first class quality. This will be reflected in th
price.

✿ **A very good restaurant in its category**

The star indicates a good place to stop on your journey.

But beware of comparing the star given to an expensive « de luxe
establishment to that of a simple restaurant where you can appreciate fin
cuisine at a reasonable price.

# PRICES

Prices quoted are valid for late 1994. Changes may arise if goods and service costs are revised. The rates include tax and service and no extra charge should appear on your bill, with the possible exception of visitor's tax.
Hotels and restaurants in bold type have supplied details of all their rates and have assumed responsibility for maintaining them for all travellers in possession of this guide.
Certain establishments offer special rates apart from during high season and major exhibitions. Agree terms when booking.
*Your recommendation is self-evident if you always walk into a hotel Guide in hand.*

## Meals

| | |
|---|---|
| enf. 65 | Price of children's menu |
| → | Establishment serving a simple menu **for less than 80 F** |
| | **Set meals :** |
| **Repas** 80 (dej.) | 80 (déj.) served only at lunch - time |
| 100/150 | Lowest 100 and highest 150 prices for set meals |
| 100/150 | The cheapest set meal 100 is not served on Saturdays, Sundays or public holidays |
| bc | House wine included |
| 🍶 | Table wine available by the carafe |
| | **« A la carte » meals :** |
| **Repas** carte 160 à 310 | The first figure is for a plain meal and includes hors-d'œuvre, main dish of the day with vegetables and dessert. The second figure is for a fuller meal (with « spécialité ») and includes 2 main courses, cheese, and dessert (drinks not included) |

## Rooms

| | |
|---|---|
| ch 365/620 | Lowest price 365 for a single room and highest price 620 for a double. |
| 29 ch ☕ 360/750 | Price includes breakfast |
| ☕ 40 | Price of continental breakfast (generally served in the bedroom) |

## Half board

| | |
|---|---|
| 1/2 P 350/650 | Lowest and highest prices of half board (room, breakfast and a meal) per person, per day in the season. It is advisable to agree on terms with the hotelier before arriving. |

## Deposits - Credit cards

Some hotels will require a deposit, which confirms the commitment of customer and hotelier alike. Make sure the terms of the agreement are clear.

| | |
|---|---|
| AE ⓓ GB JCB | American Express - Diners Club - Eurocard, MasterCard, Visa - Japan Card Bank. |

## GLOSSARY OF MENU TERMS

*This section provides translations and explanations of many terms commonly found on French menus. It will also give visitors some idea of the specialties listed under the "starred" restaurants which we have recommended for fine food. Far be it from us, however, to spoil the fun of making your own inquiries to the waiter, as, indeed, the French do when confronted with a mysterious but intriguing dish !*

### A

**Agneau** – Lamb

**Aiguillette (caneton** *or* **canard)** – Thin, tender slice of duckling, cut lengthwise

**Ail** – Garlic

**Andouillette** – Sausage made of pork or veal tripe

**Artichaut** – Artichoke

**Avocat** – Avocado pear

### B

**Ballottine** – A variety of galantine (white meat moulded in aspic)

**Bar** – Sea bass (see *Loup au fenouil* p 21)

**Barbue** – Brill

**Baudroie** – Burbot

**Béarnaise** – Sauce made of butter, eggs, tarragon, vinegar served with steaks and some fish dishes.

**Belons** – Variety of flat oyster with delicate flavor

**Beurre blanc** – "White butter", a sauce made of butter wellwhipped with vinegar and shallots, served with pike and other fish

**Bœuf bourguignon** – Beef stewed in red wine

**Bordelaise (à la)** – Red wine sauce with shallots and bone marrow

**Boudin grillé** – Grilled pork blood-sausage

**Bouillabaisse** – A soup of fish and, sometimes, shellfish, cooked with garlic, parsley, tomatoes, olive oil, spices, onions and saffron. The fish and the soup are served separately. A Marseilles specialty

**Bourride** – Fish chowder prepared with white fish, garlic, spices, herbs and white wine, served with *aïoli*

**Brochette (en)** – Skewered

## C

**Caille** – Quail

**Calamar** – Squid

**Canard à la rouennaise** – Roast or fried duck, stuffed with its liver

**Canard à l'orange** – Roast duck with oranges

**Canard aux olives** – Roast duck with olives

**Carré d'agneau** – Rack of lamb (loin chops)

**Cassoulet** – Casserole dish made of white beans, condiments, served (depending on the recipe) with sausage, pork, mutton, goose or duck

**Cèpes** – Variety of mushroom

**Cerfeuil** – Chervil

**Champignons** – Mushrooms

**Charcuterie d'Auvergne** – A region of central France, Auvergne is reputed to produce the best country-prepared pork-meat specialties, served cold as a firt course

**Charlotte** – A moulded sponge cake although sometimes made with vegetables

**Chartreuse de perdreau** – Young partridge cooked with cabbage

**Châtaignes** – Chestnuts

**Châteaubriand** – Thick, tender cut of steak from the heart of the fillet or tenderloin

**Chevreuil** – Venison

**Chou farci** – Stuffed cabbage

**Choucroute garnie** – Sauerkraut, an Alsatian specialty, served hot and "garnished" with ham, frankfurters, bacon, smoked pork, sausage and boiled potatoes. A good dish to order in a *brasserie*

**Ciboulette** – Chives

**Civet de gibier** – Game stew with wine and onions (*civet de lièvre* = jugged hare)

**Colvert** – Wild duck

**Confit de canard *or* d'oie** – Preserved duck or goose cooked in its own fat sometimes served with *cassoulet*

**Coq au vin** – Chicken (literally, "rooster") cooked in red wine sauce with onions, mushrooms and bits of bacon

**Coques** – Cockles

**Coquilles St-Jacques** – Scallops

**Cou d'oie farci** – Stuffed goose neck

**Coulis** – Thick sauce

**Couscous** – North African dish of semolina (crushed wheat grain) steamed and served with a broth of chick-peas and other vegetables, a spicy sauce, accompanied by chicken, roast lamb and sausage

**Crêpes** – Thin, light pancakes

**Crevettes** – Shrimps

**Croustade** – Small moulded pastry (puff pastry)

**Crustacés** – Shellfish

## D – E

**Daube (Bœuf en)** – Beef braised with carrots and onions in red wine sauce

**Daurade** – Sea bream

**Écrevisses** – Fresh water crayfish

**Entrecôte marchand de vin** – Rib steak in a red wine sauce with shallots

**Escalope de veau** – (Thin) veal steak, sometimes served *panée*, breaded as with *Wiener Schnitzel*

**Escargot** – Snails, usually prepared with butter, garlic and parsley

**Estragon** – Tarragon

## F

**Faisan** – Pheasant

**Fenouil** – Fennel

**Feuillantine** – See feuilleté

**Feuilleté** – Flaky puff pastry used for making pies or tarts

**Filet de bœuf** – Fillet (tenderloin) of beef

**Filet mignon** – Small, round, very choice cut of meat

**Flambé(e)** – "Flamed", i.e., bathed in brandy, rum, etc., which is then ignited

**Flan** – Baked custard

**Foie gras au caramel poivré** – Peppered caramelized goose or duck liver

**Foie gras d'oie *or* de canard** – Liver of fatted geese or ducks, served fresh *(frais)* or in *pâté* (see p 22)

**Foie de veau** – Calf's liver

**Fruits de mer** – Seafood

## G

**Gambas** – Prawns

**Gibier** – Game

**Gigot d'agneau** – Roast leg of lamb

**Gigot de mer** – Burdot

**Gingembre** – Ginger

**Goujon** *or* **goujonnette de sole** – Small fillets of fried sole

**Gratin (au)** – Dish baked in the oven to produce thin crust on surface

**Gratinée** – See : onion soup under *soupe à l'oignon*

**Grenadin de veau** – Veal tournedos

**Grenouilles (cuisses de)** – Frogs' legs, often served *à la provençale* (see p 22)

**Grillades** – Grilled meats, mostly steaks

## H – J – L

**Homard** – Lobster

**Homard à l'américaine** *or* **à l'armoricaine** – Lobster sauted in butter and olive oil, served with a sauce of tomatoes, garlic, spices, white wine and cognac

**Huîtres** – Oysters

**Jambon** – Ham (raw or cooked)

XX **Chez Gabriel** CY 31
123 r. St-Honoré (1er) ☎ 42 33 02 99
bistrot – ▤. AE ◑ GB JCB
*fermé 3 au 24 août, 22 déc. au 3 janv., dim. et fériés* – **Repas** 170 bc/210.

XX **Les Cartes Postales** BX 4
7 r. Gomboust (1er) ☎ 42 61 02 93, Fax 42 61 02 93
GB JCB
*fermé sam. midi , dim. et fériés* – **Repas** (nombre de couverts limité, prévenir) 135 (déj.), 150/350 et carte 220 à 370.

XX **Le Saint Amour** BV 16
8 r. Port Mahon (2e) ☎ 47 42 63 82
▤. AE ◑ GB JCB
*fermé 29 juil. au 22 août, sam. midi, dim. et fériés* – **Repas** 165 et carte 220 à 280.

X **Caveau du Palais** CZ 45
19 pl. Dauphine (1er) ☎ 43 26 04 28, Fax 43 26 81 84
AE GB
*fermé Noël au Jour de l'An, sam. du 15 oct. au 30 avril et dim.* – **Repas** carte 210 à 320.

X **La Main à la Pâte** CY 44
35 r. St-Honoré (1er) ☎ 45 08 85 73
AE ◑ GB JCB
*fermé dim.* – **Repas** - cuisine italienne - 114 (déj.)/148 et carte 210 à 340.

X **Aux Petits Pères " Chez Yvonne "** CX 33
8 r. N.-D.-des-Victoires (2e) ☎ 42 60 91 73
▤. AE GB
*fermé août, sam. et dim.* – **Repas** 165 et carte 170 à 290.

X **A la Grille St-Honoré** BX 41
15 pl. Marché St-Honoré (1er) ☎ 42 61 00 93, Fax 47 03 31 64
▤. AE ◑ GB
*fermé 1er au 21 août, 24 déc. au 3 janv., lundi (sauf le soir en oct. et nov.) et dim.* – **Repas** 180 et carte 240 à 400.

X **Chez Georges** CX 47
1 r. Mail (2e) ☎ 42 60 07 11
bistrot – ▤. AE GB
*fermé 1er au 20 août, dim. et fêtes* – **Repas** carte 200 à 330.

X **Paul** CZ 19
15 pl. Dauphine (1er) ☎ 43 54 21 48
AE GB. ⚹
*fermé lundi* – **Repas** carte 200 à 340.

X **Le Ruban Bleu** BX 3
29 r. Argenteuil (1er) ☎ 42 61 47 53
◑ GB
*fermé 31 juil. au 27 août, 23 déc. au 1er janv., sam. et dim.* – **Repas** (déj. seul.) carte 190 à 270.

X **Lescure** AX 5
7 r. Mondovi (1er) ☎ 42 60 18 91
bistrot – GB
*fermé 1er au 30 août, sam. soir et dim.* – **Repas** 100 bc et carte 80 à 170.

X **La Poule au Pot** CY 27
9 r. Vauvilliers (1er) ☎ 42 36 32 96
bistrot – GB
*fermé lundi* – **Repas** (dîner seul.) carte 200 à 280.

X **Le Canard d'Avril** CX 8
5 r. Paul Lelong (2e) ☎ 42 36 26 08
GB
*fermé 5 au 28 août, sam., dim. et fériés* – **Repas** 125 et carte 160 à 210 🍷.

# 3$^e$ 4$^e$ 11$^e$ arrondissements

RÉPUBLIQUE

NATION – BASTILLE

ILE ST-LOUIS – BEAUBOURG

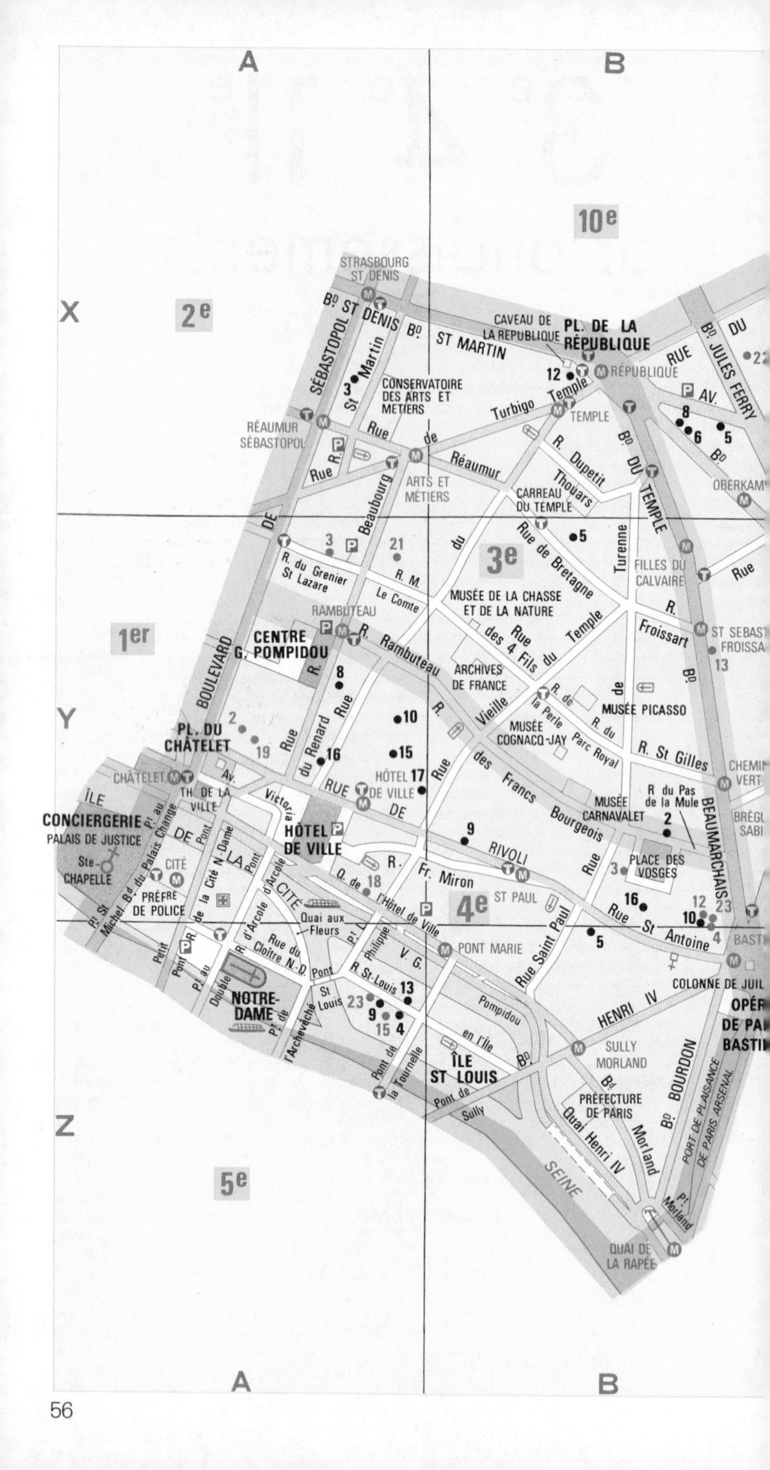
A
B
10e
2e
1er
3e
4e
5e
X
Y
Z
STRASBOURG ST DENIS
Bd ST DENIS
Bd ST MARTIN
CAVEAU DE LA REPUBLIQUE
PL. DE LA RÉPUBLIQUE
RÉPUBLIQUE
SÉBASTOPOL
St Martin
CONSERVATOIRE DES ARTS ET METIERS
Turbigo
Temple
TEMPLE
RÉAUMUR SÉBASTOPOL
Rue de Réaumur
ARTS ET MÉTIERS
Beaubourg
R. Dupetit Thouars
CARREAU DU TEMPLE
Bd DU TEMPLE
Bd JULES FERRY
OBERKAMPF
R. du Grenier St Lazare
R. M. Le Comte
Rue de Bretagne
Turenne
FILLES DU CALVAIRE
MUSÉE DE LA CHASSE ET DE LA NATURE
RAMBUTEAU
R. Rambuteau
CENTRE G. POMPIDOU
Rue des 4 Fils
Vieille du Temple
R. Froissart
ST SEBASTIEN FROISSART
ARCHIVES DE FRANCE
MUSÉE PICASSO
R. de la Perle
R. du Parc Royal
MUSÉE COGNACQ-JAY
R. St Gilles
BOULEVARD
PL. DU CHÂTELET
Rue du Renard
HÔTEL DE VILLE
RUE DE RIVOLI
des Francs Bourgeois
MUSÉE CARNAVALET
R du Pas de la Mule
BEAUMARCHAIS
CHEMIN VERT
CHÂTELET
Av. Victoria
TH. DE LA VILLE
ÎLE DE LA CITÉ
CONCIERGERIE
PALAIS DE JUSTICE
Ste-CHAPELLE
Pt. au Change
Bd du Palais
CITÉ
PRÉFRE DE POLICE
R. de la Cité
Pont N-Dame
Pont d'Arcole
Q. de l'Hôtel de Ville
R. Fr. Miron
ST PAUL
PLACE DES VOSGES
Rue St Antoine
Rue Saint Paul
Quai aux Fleurs
Rue du Cloître N.-D.
Pt. St Michel
Petit Pont
Pt. au Double
NOTRE-DAME
Pt. de l'Archevêché
Pont St Louis
Pt. L. Philippe
R. St-Louis
PONT MARIE
Pompidou
en l'Île
ÎLE ST LOUIS
Pont de la Tournelle
Pont de Sully
HENRI IV
SULLY MORLAND
Bd MORLAND
COLONNE DE JUILLET
PRÉFECTURE DE PARIS
Quai Henri IV
Bd BOURDON
PORT DE PLAISANCE DE PARIS ARSENAL
SEINE
Pt Morland
QUAI DE LA RAPÉE

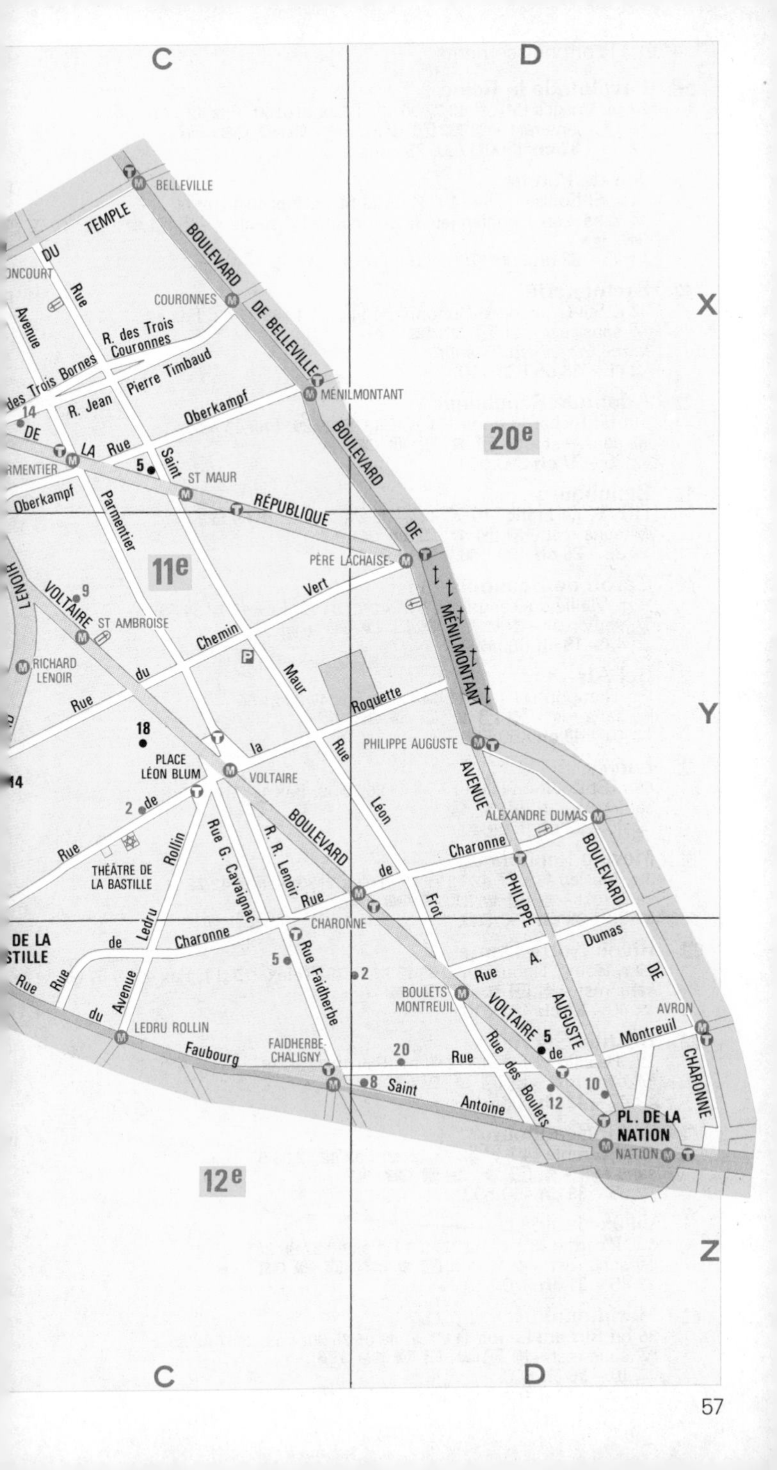
C
D
X
Y
Z
BELLEVILLE
TEMPLE
DU
BOULEVARD
DE BELLEVILLE
COURONNES
Rue
Avenue
R. des Trois Couronnes
des Trois Bornes
Pierre Timbaud
R. Jean
Oberkampf
MÉNILMONTANT
BOULEVARD
20e
DE
LA
Rue
Saint
ST MAUR
RÉPUBLIQUE
Oberkampf
Parmentier
11e
PÈRE LACHAISE
Vert
Chemin
du
Rue
VOLTAIRE
ST AMBROISE
RICHARD LENOIR
LENOIR
MÉNILMONTANT
Maur
Roquette
la
PHILIPPE AUGUSTE
AVENUE
Rue
Léon
PLACE LÉON BLUM
VOLTAIRE
de
THÉATRE DE LA BASTILLE
Rollin
Rue G. Cavaignac
R. R. Lenoir
BOULEVARD
ALEXANDRE DUMAS
Charonne
BOULEVARD
PHILIPPE
de
Rue
Frot
CHARONNE
Charonne
de
Ledru
DE LA STILLE
Rue Faidherbe
Rue
Dumas
A.
DE
AUGUSTE
BOULETS MONTREUIL
VOLTAIRE
Rue des Boulets
AVRON
Montreuil
CHARONNE
Rue
Avenue
du
LEDRU ROLLIN
Faubourg
FAIDHERBE-CHALIGNY
Saint
Antoine
PL. DE LA NATION
NATION
12e

**Pavillon de la Reine** BY
28 pl. Vosges (3e) ☎ 42 77 96 40, Télex 216160, Fax 42 77 63 06
M sans rest – ▣ TV ☎ ♿ . AE ① GB JCB
95 – **32 ch** 1300/1700, 23 appart.

**Jeu de Paume** AZ 1
54 r. St-Louis-en-l'Ile (4e) ☎ 43 26 14 18, Fax 40 46 02 76
M sans rest, « Ancien jeu de paume du 17e siècle » – TV ☎ – 30. AE ①
GB JCB
75 – **32 ch** 895/1250, 7 duplex.

**Bretonnerie** AY 1
22 r. Ste-Croix-de-la-Bretonnerie (4e) ☎ 48 87 77 63, Fax 42 77 26 78
M sans rest – TV ☎. GB.
*fermé 30 juil. au 27 août*
45 – **28 ch** 620/730.

**Atlantide République** CX
114 bd Richard-Lenoir (11e) ☎ 43 38 29 29, Fax 43 38 03 18
M sans rest – TV ☎. AE ① GB
35 – **27 ch** 390/530.

**Beaubourg** AY
11 r. S. Le Franc (4e) ☎ 42 74 34 24, Fax 42 78 68 11
M sans rest – TV ☎. AE ① GB.
38 – **28 ch** 490/580.

**Caron de Beaumarchais** BY
12 r. Vieille-du-Temple (4e) ☎ 42 72 34 12, Fax 42 72 34 63
M sans rest – ▣ TV ☎. AE ① GB JCB.
48 – **19 ch** 560/690.

**Bel Air** BX
5 r. Rampon (11e) ☎ 47 00 41 57, Fax 47 00 21 56
M sans rest – TV ☎. AE ① GB.
40 – **48 ch** 450/560.

**Lutèce** AZ
65 r. St-Louis-en-l'Ile (4e) ☎ 43 26 23 52, Fax 43 29 60 25
sans rest – TV ☎.
45 – **23 ch** 820/840.

**Meslay République** BX 1
3 r. Meslay (3e) ☎ 42 72 79 79, Télex 213021, Fax 42 72 76 94
sans rest – TV ☎. AE ① GB.
38 – **39 ch** 550/660.

**Rivoli Notre Dame** AY 1
19 r. Bourg Tibourg (4e) ☎ 42 78 47 39, Télex 215314, Fax 40 29 07 00
sans rest – TV ☎. AE ① GB JCB
40 – **31 ch** 490/610.

**Bastille Spéria** BY 1
1 r. Bastille (4e) ☎ 42 72 04 01, Fax 42 72 56 38
M sans rest – TV ☎. AE ① GB.
42 – **42 ch** 556/616.

**Axial Beaubourg** AY 1
11 r. Temple (4e) ☎ 42 72 72 22, Fax 42 72 03 53
sans rest – TV ☎. AE ① GB.
35 – **39 ch** 450/590.

**Vieux Saule** BY
6 r. Picardie (3e) ☎ 42 72 01 14, Fax 40 27 88 21
M sans rest – ch TV ☎ . AE ① GB JCB.
45 – **31 ch** 370/510.

**Méridional** CY 1
36 bd Richard-Lenoir (11e) ☎ 48 05 75 00, Fax 43 57 42 85
M sans rest – TV ☎. AE ① GB JCB
45 – **36 ch** 600.

**Little Palace** AX 3
4 r. Salomon de Caus (3e) ☎ 42 72 08 15, Fax 42 72 45 81
M – AE GB
**Repas** *(fermé 13 juil. au 16 août, sam. et dim.)* carte 130 à 190 – 45 – **57 ch** 515/720.

**Deux Iles** AZ 4
59 r. St-Louis-en-l'Ile (4e) ☎ 43 26 13 35, Fax 43 29 60 25
sans rest –
45 – **17 ch** 710/820.

**Verlain** CX 5
97 r. St-Maur (11e) ☎ 43 57 44 88, Fax 43 57 32 06
sans rest – AE GB
40 – **38 ch** 500/535.

**Campanile** BY 6
9 r. Chemin Vert (11e) ☎ 43 38 58 08, Fax 43 38 52 28
sans rest – ch AE GB
32 – **157 ch** 420.

**Vieux Marais** AY 10
8 r. Plâtre (4e) ☎ 42 78 47 22, Fax 42 78 34 32
sans rest – GB.
*fermé 1er au 29 août*
35 – **30 ch** 385/550.

**Nord et Est** BX 6
49 r. Malte (11e) ☎ 47 00 71 70, Fax 43 57 51 16
sans rest – AE GB.
*fermé août et 24 déc. au 2 janv.*
35 – **45 ch** 320/360.

**Stella** BZ 5
14 r. Neuve St-Pierre (4e) ☎ 44 59 28 50, Fax 44 59 28 79
M sans rest – AE GB JCB
50 – **20 ch** 556/662.

**Paris Voltaire** CY 18
79 r. Sedaine (11e) ☎ 48 05 44 66, Fax 48 07 87 96
M sans rest – AE GB JCB.
*fermé 10 août au 1er sept. et 20 au 27 déc.*
38 – **28 ch** 380/480.

**Prince Eugène** DZ 5
247 bd Voltaire (11e) ☎ 43 71 22 81, Télex 215603, Fax 43 71 24 71
sans rest – AE GB JCB – 32 – **35 ch** 345/405.

**Mondia** BX 5
22 r. Gd Prieuré (11e) ☎ 47 00 93 44, Fax 43 38 66 14
sans rest – AE GB – 35 – **23 ch** 310/360.

**Place des Vosges** BY 16
12 r. Birague (4e) ☎ 42 72 60 46, Fax 42 72 02 64
sans rest – AE GB JCB. – 40 – **16 ch** 305/440.

XXXX ✿✿✿ **L'Ambroisie** (Pacaud) BY 3
9 pl. des Vosges (4e) ☎ 42 78 51 45
GB.
*fermé 6 au 27 août, vacances de fév., dim. et lundi* – **Repas** carte 650 à 900
**Spéc.** Fricassée de homard breton sauce civet, purée de pois cassés. Noix de ris de veau rôtie au romarin, poêlée d'artichauts. Tarte sablée au cacao amer, glace vanille.

XXX ✿ **Miravile** (Epié) AY 18
72 quai Hôtel de Ville (4e) ☎ 42 74 72 22, Fax 42 74 67 55
AE GB
*fermé sam. midi et dim.* – **Repas** 220
**Spéc.** Saumon à l'huile "comme le hareng". Saint-Jacques à la moelle et truffes (oct.-avril). "Chaudcolat" mousse et coco frappé.

XXX **Ambassade d'Auvergne** AY
22 r. Grenier St-Lazare (3e) ☎ 42 72 31 22, Fax 42 78 85 47
▤. AE GB
*fermé 30 juil. au 15 août* – **Repas** 160/250 et carte 180 à 260.

XX **Bofinger** BZ
5 r. Bastille (4e) ☎ 42 72 87 82, Fax 42 72 97 68
brasserie, « Décor Belle Époque » – AE ⓓ GB
**Repas** 166 bc et carte 160 à 310.

XX ✿ **Benoît** AY
20 r. St-Martin (4e) ☎ 42 72 25 76, Fax 42 72 45 68
bistrot
*fermé août* – **Repas** 200 et carte 350 à 450
**Spéc.** Coquilles Saint-Jacques au naturel (sept. à avril). Boeuf mode à l'ancienne. Cassoule

XX ✿ **A Sousceyrac** (Asfaux) CZ
35 r. Faidherbe (11e) ☎ 43 71 65 30, Fax 40 09 79 75
▤. AE ⓓ GB
*fermé août, sam. midi et dim.* – **Repas** 175 et carte 230 à 320
**Spéc.** Foie gras en terrine. Ris de veau aux pleurotes. Pannequet de charolais.

XX **Thaï Elephant** CY
43 r. Roquette (11e) ☎ 47 00 42 00, Fax 47 00 45 44
« Décor typique » – ▤. AE ⓓ GB
*fermé sam. midi* – **Repas** - cuisine thaïlandaise - carte 210 à 330.

XX **L'Aiguière** DZ
37 bis r. Montreuil (11e) ☎ 43 72 42 32, Fax 43 72 96 36
▤. AE ⓓ GB
*fermé sam. midi et dim.* – **Repas** 125 (déj.), 175/248 bc et carte 240 à 350.

XX **Pyrénées Cévennes "Chez Philippe"** BX
106 r. Folie-Méricourt (11e) ☎ 43 57 33 78
bistrot – ▤. AE GB
*fermé août, sam. et dim* – **Repas** carte 220 à 320.

XX **Repaire de Cartouche** BY
8 bd Filles-du-Calvaire (11e) ☎ 47 00 25 86
AE ⓓ GB
*fermé 24 juil. au 24 août, sam. midi et dim.* – **Repas** 150 et carte 200 320 ♨.

XX **La Table Richelieu** DZ
276 bd Voltaire (11e) ☎ 43 72 31 23
▤. AE GB
*fermé sam. midi* – **Repas** 145 bc (déj.), 200/260 et carte 230 à 320.

XX **L'Alisier** AY
26 r. Montmorency (3e) ☎ 42 72 31 04, Fax 42 72 74 83
▤. AE GB. ✂
*fermé août, sam. et dim.* – **Repas** 165.

XX **Les Amognes** DZ
243 r. Fg St-Antoine (11e) ☎ 43 72 73 05
GB
*fermé 7 au 21 août, dim. et lundi* – **Repas** 170.

XX **Chardenoux** DZ
1 r. J. Vallès (11e) ☎ 43 71 49 52
bistrot – AE GB. ✂
*fermé 7 au 27 août, sam. et dim.* – **Repas** carte 160 à 250.

X **Le Navarin** DZ 1
3 av. Philippe Auguste (11e) ☎ 43 67 17 49
GB
*fermé sam. midi et dim. soir* – **Repas** 118/148 ♨.

**Le Maraîcher** BZ 15
5 r. Beautreillis (4e) 42 71 42 49
GB
*fermé août, 23 déc. au 1er janv., lundi midi et dim.* – **Repas** 175/295 et carte 210 à 330.

**Bistrot du Dôme** BY 12
2 r. Bastille (4e) 48 04 88 44, Fax 48 04 00 59
AE GB
**Repas** - produits de la mer - carte 180 à 260.

**Astier** CX 14
44 r. J.-P. Timbaud (11e) 43 57 16 35
bistrot – AE GB
*fermé 24 avril au 7 mai, 20 juil. au 24 août, 21 déc. au 3 janv., sam. et dim.* – **Repas** 130.

**Anjou-Normandie** CY 9
13 r. Folie-Méricourt (11e) 47 00 30 59
GB
*fermé août, lundi soir, sam. et dim.* – **Repas** 135/160 et carte 160 à 260, enf. 60.

**Le Monde des Chimères** AZ 23
69 r. St-Louis-en-L'Ile (4e) 43 54 45 27
GB
*fermé 18 juil. au 7 août, vacances de fév., dim. et lundi* – **Repas** 155/300 et carte 240 à 330.

**Le Bistrot de Bofinger** BY 23
6 r. Bastille (4e) 42 72 05 23, Fax 42 72 97 68
AE GB
**Repas** 163 bc et carte 130 à 200.

**Le Grizzli** AY 2
7 r. St-Martin (4e) 48 87 77 56
bistrot – AE GB
*fermé 24 déc. au 2 janv. et dim.* – **Repas** 120 (déj.)/155 et carte 150 à 250.

**Chez Fernand** BX 9
17 r. Fontaine au Roi (11e) 43 57 46 25
bistrot – GB
*fermé 15 juil. au 15 août, dim. et lundi* – **Repas** 100 bc (déj.)/130 et carte 140 à 280.

# $5^e$ $6^e$ arrondissements

## ST-GERMAIN-DES-PRÉS

## QUARTIER LATIN – LUXEMBOURG

## JARDIN DES PLANTES

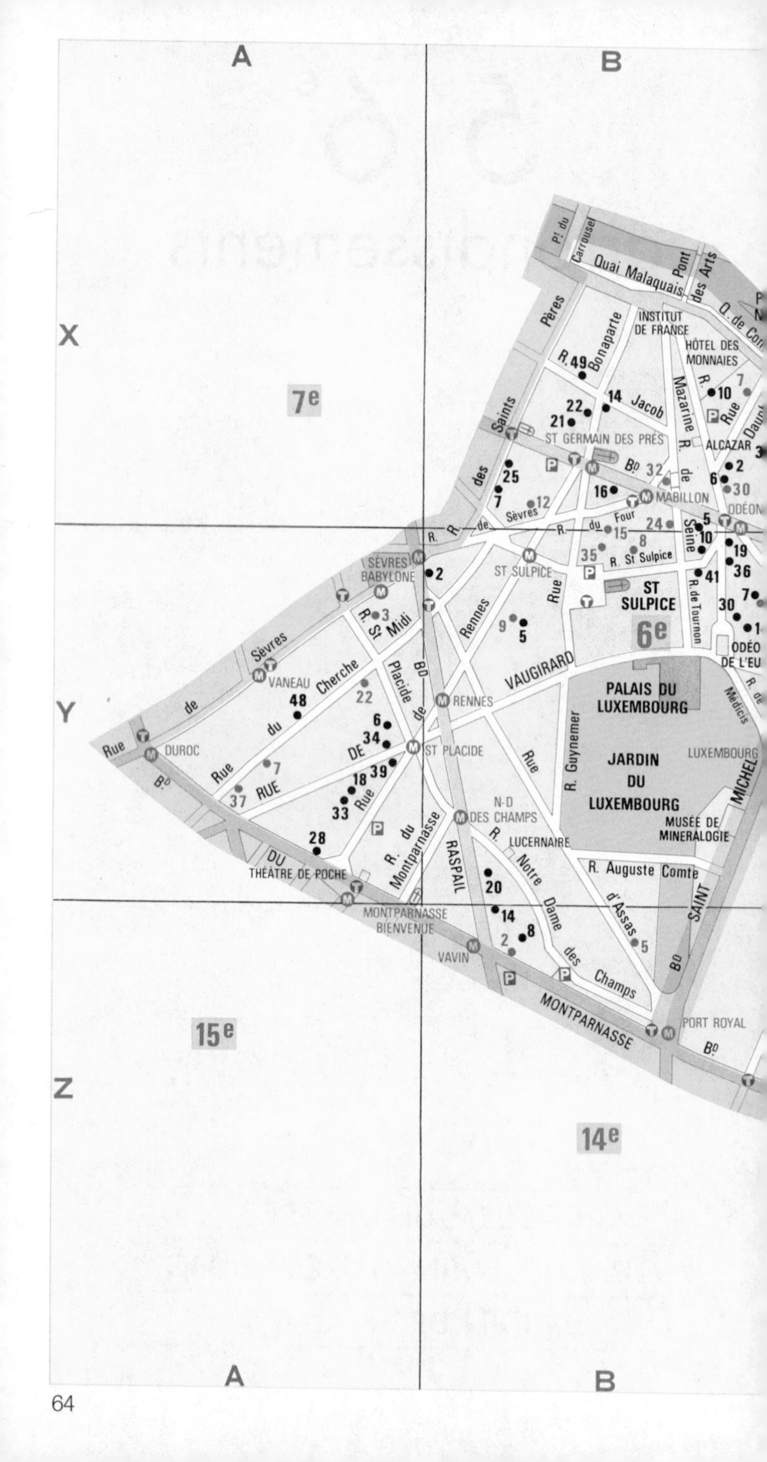
A
B
X
Y
Z
7e
6e
15e
14e
Quai Malaquais
Pont des Arts
INSTITUT DE FRANCE
HÔTEL DES MONNAIES
R. Bonaparte
R. Jacob
R. Mazarine
R. Dauphine
ALCAZAR
ST GERMAIN DES PRÉS
Bd St Germain
MABILLON
ODÉON
R. des Saints Pères
R. de Sèvres
R. du Four
R. de Seine
R. St Sulpice
ST SULPICE
R. de Tournon
SÈVRES BABYLONE
R. St Placide
R. du Cherche Midi
R. de Rennes
VAUGIRARD
PALAIS DU LUXEMBOURG
JARDIN DU LUXEMBOURG
MUSÉE DE MINÉRALOGIE
R. Guynemer
R. de Médicis
Bd SAINT MICHEL
VANEAU
DUROC
Rue de Sèvres
RENNES
ST PLACIDE
R. du Montparnasse
N-D DES CHAMPS
LUCERNAIRE
R. Notre Dame des Champs
R. Auguste Comte
R. d'Assas
Bd RASPAIL
THÉATRE DE POCHE
MONTPARNASSE BIENVENUE
VAVIN
PORT ROYAL
Bd DU MONTPARNASSE

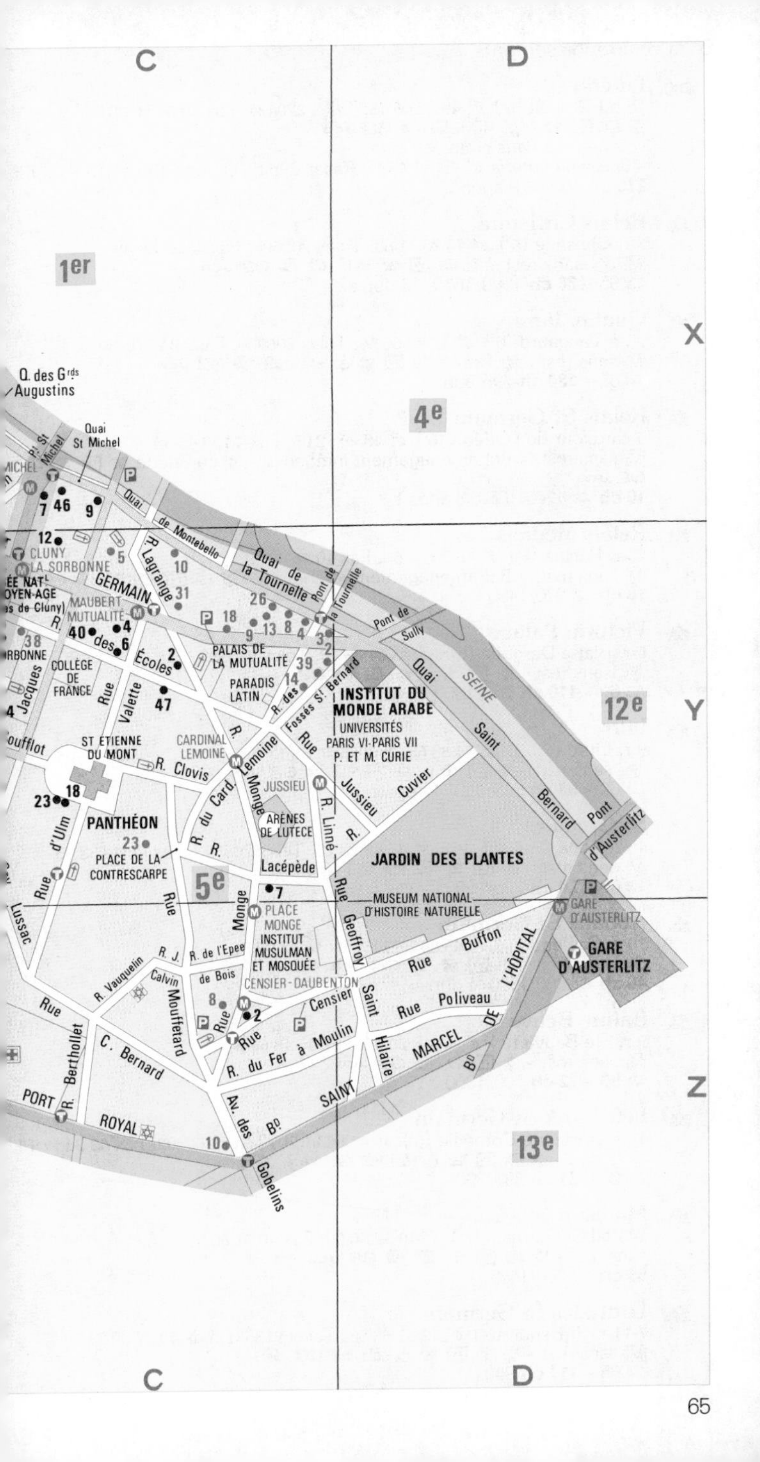
C
D
1er
X
4e
Q. des Grds Augustins
Quai St Michel
CLUNY LA SORBONNE
GERMAIN
MAUBERT MUTUALITÉ
Quai de Montebello
R. Lagrange
Quai de la Tournelle
Pont de la Tournelle
Pont de Sully
PALAIS DE LA MUTUALITÉ
PARADIS LATIN
COLLÈGE DE FRANCE
R. des Écoles
Rue Valette
R. des Fossés St. Bernard
INSTITUT DU MONDE ARABE
UNIVERSITÉS PARIS VI-PARIS VII P. ET M. CURIE
Quai Saint Bernard
SEINE
12e
Y
ST ETIENNE DU MONT
CARDINAL LEMOINE
R. Clovis
R. du Card. Lemoine
Rue Monge
Rue Jussieu
JUSSIEU
Rue Cuvier
R. Linné
PANTHÉON
ARÈNES DE LUTECE
Rue d'Ulm
PLACE DE LA CONTRESCARPE
R. Lacépède
JARDIN DES PLANTES
Pont d'Austerlitz
5e
Rue Monge
PLACE MONGE
INSTITUT MUSULMAN ET MOSQUÉE
MUSEUM NATIONAL D'HISTOIRE NATURELLE
GARE D'AUSTERLITZ
Rue Geoffroy Saint Hilaire
Rue Buffon
BD DE L'HÔPITAL
GARE D'AUSTERLITZ
R. J. Calvin
R. de l'Epee de Bois
R. Vauquelin
Rue Mouffetard
CENSIER-DAUBENTON
Rue Censier
Rue Poliveau
Rue Berthollet
C. Bernard
R. du Fer à Moulin
BD SAINT MARCEL
Z
PORT ROYAL
Av. des Gobelins
13e
C
D

**Lutétia** BY
45 bd Raspail (6e) ✆ 49 54 46 46, Télex 270424, Fax 49 54 46 00
– 400. AE GB JCB
voir rest. ***Le Paris*** ci-après
- ***Brasserie Lutétia*** ✆ 49 54 46 76 **Repas** 295 bc et carte 190 à 310 – 125
**270 ch** 1650, 29 appart.

**Relais Christine** BX
3 r. Christine (6e) ✆ 43 26 71 80, Télex 202606, Fax 43 26 89 38
M sans rest – . AE GB JCB
95 – **36 ch** 1580/1650, 13 duplex.

**Quality Inn** AY
92 r. Vaugirard (6e) ✆ 42 22 00 56, Télex 206900, Fax 42 22 05 39
M sans rest – ch . AE GB JCB
65 – **134 ch** 795/935.

**Relais St Germain** BY
9 carrefour de l'Odéon (6e) ✆ 43 29 12 05, Fax 46 33 45 30
M sans rest, « Bel aménagement intérieur » – cuisinette . AE
GB JCB
**16 ch** 1260/1650, 5 appart.

**Relais Médicis** BY
23 r. Racine (6e) ✆ 43 26 00 60, Fax 40 46 83 39
M sans rest, « Bel aménagement intérieur » – . AE GB JCB
**16 ch** 920/1480.

**Victoria Palace** AY
6 r. Blaise-Desgoffe (6e) ✆ 45 44 38 16, Télex 270557, Fax 45 49 23 75
sans rest – . AE GB
60 – **110 ch** 750/1300.

**Littré** AY
9 r. Littré (6e) ✆ 45 44 38 68, Fax 45 44 88 13
sans rest – – 25. AE GB JCB.
60 – **93 ch** 695/950, 4 appart.

**St-Grégoire** AY
43 r. Abbé Grégoire (6e) ✆ 45 48 23 23, Télex 205343, Fax 45 48 33 95
M sans rest – . AE GB JCB.
60 – **20 ch** 760/1290.

**Abbaye St-Germain** BY
10 r. Cassette (6e) ✆ 45 44 38 11, Fax 45 48 07 86
sans rest – . AE GB JCB.
**46 ch** 880/1500, 4 duplex.

**Sainte Beuve** BY
9 r. Ste Beuve (6e) ✆ 45 48 20 07, Fax 45 48 67 52
M sans rest – . AE GB JCB.
80 – **22 ch** 700/1300.

**Left Bank St-Germain** BX
11 r. Ancienne Comédie (6e) ✆ 43 54 01 70, Télex 200502, Fax 43 26 17 14
sans rest – . AE GB JCB.
30 – **31 ch** 895/990.

**Madison** BX
143 bd St-Germain (6e) ✆ 40 51 60 00, Fax 40 51 60 01
sans rest – . AE GB JCB
**55 ch** 750/1485.

**Latitudes St Germain** BX
7-11 r. St-Benoit (6e) ✆ 42 61 53 53, Télex 213531, Fax 49 27 09 33
M sans rest – . AE GB.
65 – **117 ch** 940.

**La Villa** BX 14
29 r. Jacob (6e) ✆ 43 26 60 00, Fax 46 34 63 63
M sans rest, « Original décor contemporain » – ♦ ▤ TV ☎. AE ⓓ GB JCB
☕ 80 – **29 ch** 800/1950, 3 appart.

**Angleterre** BX 49
44 r. Jacob (6e) ✆ 42 60 34 72, Fax 42 60 16 93
sans rest – ♦ TV ☎. AE ⓓ GB
☕ 50 – **27 ch** 650/1100.

**St-Germain-des-Prés** BX 22
36 r. Bonaparte (6e) ✆ 43 26 00 19, Fax 40 46 83 63
sans rest, « Bel aménagement intérieur » – ♦ ▤ TV ☎. GB JCB. ✻
☕ 65 – **30 ch** 900/1300.

**Villa des Artistes** BZ 8
9 r. Grande Chaumière (6e) ✆ 43 26 60 86, Télex 204080, Fax 43 54 73 70
M sans rest – ♦ ▤ TV ☎. AE ⓓ GB JCB
**59 ch** ☕ 600/850.

**Ferrandi** AY 48
92 r. Cherche-Midi (6e) ✆ 42 22 97 40, Fax 45 44 89 97
sans rest – ♦ TV ☎. AE ⓓ GB JCB
☕ 60 – **41 ch** 440/940.

**Panthéon** CY 23
19 pl. Panthéon (5e) ✆ 43 54 32 95, Télex 206435, Fax 43 26 64 65
sans rest, ≤ – ♦ ▤ TV ☎. AE ⓓ GB JCB. ✻
*fermé 1er au 21 août*
☕ 40 – **34 ch** 635/760.

**Grands Hommes** CY 18
17 pl. Panthéon (5e) ✆ 46 34 19 60, Fax 43 26 67 32
sans rest, ≤ – ♦ ▤ TV ☎. AE ⓓ GB JCB. ✻
☕ 40 – **32 ch** 635/760.

**Résidence Henri IV** CY 47
50 r. Bernardins (5e) ✆ 44 41 31 81, Fax 46 33 93 22
M sans rest – ♦ cuisinette TV ☎. AE GB. ✻
☕ 40 – **9 ch** 700/900, 4 appart.

**Le Régent** BX 2
61 r. Dauphine (6e) ✆ 46 34 59 80, Télex 206257, Fax 40 51 05 07
M sans rest – ♦ ▤ TV ☎ ♿. AE ⓓ GB JCB. ✻
☕ 57 – **25 ch** 750/950.

**Odéon H.** BY 36
3 r. Odéon (6e) ✆ 43 25 90 67, Fax 43 25 55 98
M sans rest – ♦ ▤ TV ☎. AE ⓓ GB JCB. ✻
☕ 55 – **33 ch** 700/1300.

**Prince de Conti** BX 10
8 r. Guénégaud (6e) ✆ 44 07 30 40, Fax 44 07 36 34
M sans rest – ♦ ▤ TV ☎ ♿. AE ⓓ GB. ✻
☕ 60 – **26 ch** 750/990.

**Belloy St-Germain** CY 15
2 r. Racine (6e) ✆ 46 34 26 50, Télex 206234, Fax 46 34 66 18
M sans rest – ♦ TV ☎. AE GB JCB
☕ 45 – **50 ch** 690/910.

**de Fleurie** BX 5
32 r. Grégoire de Tours (6e) ✆ 43 29 59 81, Fax 43 29 68 44
sans rest – ♦ ▤ TV ☎. AE ⓓ GB. ✻
☕ 55 – **29 ch** 620/1250.

**des Saints-Pères** BX 7
65 r. des Sts-Pères (6e) ✆ 45 44 50 00, Fax 45 44 90 83
sans rest – ♦ TV ☎. AE GB. ✻
☕ 50 – **36 ch** 506/1512, 3 appart.

**Royal St-Michel** CX
3 bd St-Michel (5e) 44 07 06 06, Fax 44 07 36 25
sans rest – TV. AE GB JCB
30 – **39 ch** 740/1120.

**de l'Odéon** BY
13 r. St-Sulpice (6e) 43 25 70 11, Fax 43 29 97 34
sans rest, « Maison du 16e siècle » – TV. AE GB JCB
50 – **29 ch** 630/930.

**Select** CY
1 pl. Sorbonne (5e) 46 34 14 80, Télex 201207, Fax 46 34 51 79
M sans rest – TV. AE GB JCB
35 – **67 ch** 650/890.

**Jardin de l'Odéon** BY
7 r. C. Delavigne (6e) 46 34 23 90, Fax 43 25 28 12
M sans rest – TV. AE GB JCB
50 – **41 ch** 606/1012.

**Clos Médicis** BY
56 r. Monsieur Le Prince (6e) 43 29 10 80, Fax 43 54 26 90
M sans rest – ch TV. AE GB JCB
60 – **38 ch** 700/900.

**Elysa Luxembourg** BY
6 r. Gay-Lussac (5e) 43 25 31 74, Télex 206881, Fax 46 34 56 27
M sans rest – ch TV. AE GB
45 – **30 ch** 620/720.

**Aramis St Germain** AY
124 r. Rennes (6e) 45 48 03 75, Fax 45 44 99 29
sans rest – TV – 30. AE GB JCB.
45 – **42 ch** 650/850.

**St Christophe** CY
17 r. Lacépède (5e) 43 31 81 54, Fax 43 31 12 54
sans rest – TV. AE GB JCB
50 – **31 ch** 650.

**Notre Dame** CX
1 quai St-Michel (5e) 43 54 20 43, Télex 206650, Fax 43 26 61 75
sans rest, – TV. AE GB JCB
40 – **23 ch** 590/790, 3 duplex.

**Terminus Montparnasse** AY
59 bd Montparnasse (6e) 45 48 99 10, Télex 202636, Fax 45 48 59 10
sans rest – TV. AE GB JCB
*fermé 30 juil. au 25 août*
38 – **63 ch** 580/650.

**Parc St-Séverin** CY
22 r. Parcheminerie (5e) 43 54 32 17, Fax 43 54 70 71
sans rest – TV. AE GB.
45 – **27 ch** 500/1600.

**Jardin de Cluny** CY
9 r. Sommerard (5e) 43 54 22 66, Télex 206975, Fax 40 51 03 36
sans rest – TV. AE GB JCB.
45 – **40 ch** 600/775.

**Bréa** BZ
14 r. Bréa (6e) 43 25 44 41, Fax 44 07 19 25
sans rest – TV. AE GB JCB
40 – **23 ch** 690/750.

**Trois Collèges** CY
16 r. Cujas (5e) 43 54 67 30, Télex 206034, Fax 46 34 02 99
M sans rest – TV. AE GB JCB.
40 – **44 ch** 360/600.

**Agora St-Germain** CY 2
42 r. Bernardins (5e) ☎ 46 34 13 00, Télex 205965, Fax 46 34 75 05
sans rest – TV ☎. AE ⓓ GB JCB.
45 – **39 ch** 580/660.

**Pas-de-Calais** BX 25
59 r. Sts-Pères (6e) ☎ 45 48 78 74, Fax 45 44 94 57
sans rest – TV ☎. AE GB JCB
40 – **41 ch** 575/790.

**Delavigne** BY 7
1 r. Casimir Delavigne (6e) ☎ 43 29 31 50, Fax 43 29 78 56
sans rest – TV ☎. GB.
45 – **34 ch** 500/600.

**Albe** CX 46
1 r. Harpe (5e) ☎ 46 34 09 70, Télex 203328, Fax 40 46 85 70
sans rest – TV ☎. AE ⓓ GB JCB.
38 – **45 ch** 499/602.

**California H.** CY 6
32 r. Écoles (5e) ☎ 46 34 12 90, Fax 46 34 75 52
sans rest – TV ☎. AE ⓓ GB.
40 – **44 ch** 500/700.

**Maxim** CZ 2
28 r. Censier (5e) ☎ 43 31 16 15, Fax 43 31 93 87
M sans rest – ch TV ☎. AE ⓓ GB JCB.
45 – **36 ch** 445/505.

**Louis II** BY 10
2 r. St-Sulpice (6e) ☎ 46 33 13 80, Fax 46 33 17 29
sans rest – TV ☎. AE ⓓ GB
43 – **22 ch** 509/730.

**Collège de France** CY 40
7 r. Thénard (5e) ☎ 43 26 78 36, Fax 46 34 58 29
sans rest – TV ☎. AE GB.
33 – **27 ch** 480/580.

**La Sorbonne** CY 44
6 r. Victor Cousin (5e) ☎ 43 54 58 08, Télex 206373, Fax 40 51 05 18
sans rest – TV ☎. AE GB
35 – **37 ch** 410/480.

**Gd H. Suez** CY 16
31 bd St-Michel (5e) ☎ 46 34 08 02, Télex 202019, Fax 40 51 79 44
sans rest – TV ☎. AE ⓓ GB JCB.
30 – **49 ch** 335/445.

XXXXX ✿✿✿ **Tour d'Argent** (Terrail) CY 3
15 quai Tournelle (5e) ☎ 43 54 23 31, Fax 44 07 12 04
« ≤ Notre-Dame, Petit musée de la table. Dans les caves, spectacle historique sur le vin » – ▤. AE ⓓ GB JCB
*fermé lundi* – **Repas** 375 (déj.)et carte 800 à 1 100
**Spéc.** Quenelles de brochet "André Terrail". Canard "Tour d'Argent". Pêches flambées à l'eau-de-vie de framboise.

XXX ✿✿ **Jacques Cagna** BX 29
14 r. Gds Augustins (6e) ☎ 43 26 49 39, Fax 43 54 54 48
« Maison du Vieux Paris » – ▤. AE ⓓ GB JCB
*fermé août, 24 déc. au 2 janv., sam. midi et dim.* – **Repas** 260/480 et carte 460 à 630
**Spéc.** Saint-Pierre de "petite pêche" et ses petits farcis. Poularde de Houdan en deux services. Gibier (saison).

XXX ✿ **Paris** - Hôtel Lutétia BY
45 bd Raspail (6e) ✆ 49 54 46 90, Télex 270424, Fax 49 54 46 00
« Cadre paquebot "Art Déco" » – ▤. AE ◑ GB JCB
*fermé août, sam. et dim.* – **Repas** 250 (déj.), 350/495 bc et carte 360 à 440
**Spéc.** Turbot cuit au sel de Guérande et aux algues bretonnes. Carré de porc d'Argoat à truffe, cassolette de poireaux aux tomates confites. Le "tout chocolat".

XXX ✿ **Relais Louis XIII** BX
1 r. Pont de Lodi (6e) ✆ 43 26 75 96, Fax 44 07 07 80
« Caveau du 16e siècle, beau mobilier » – ▤. AE ◑ GB JCB
*fermé 23 juil. au 21 août, lundi midi et dim.* – **Repas** 190 (déj.), 250/35 et carte 440 à 560
**Spéc.** Ravioli de langoustines à l'estragon. Tartare de saumon frais, vinaigrette au jus d'huître Côtes d'agneau poêlées.

XXX **Le Procope** BX
13 r. Ancienne Comédie (6e) ✆ 43 26 99 20, Fax 43 54 16 86
« Ancien café littéraire du 18e siècle » – AE ◑ GB
**Repas** 99 (déj.)/185 et carte 190 à 340 ♁.

XX **Aub. des Deux Signes** CY
46 r. Galande (5e) ✆ 43 25 46 56, Fax 46 33 20 49
« Cadre médiéval » – AE ◑ GB JCB
*fermé août, sam. midi et dim.* – **Repas** 140 (déj.)/230 et carte 370 à 520, enf. 12(

XX **Au Pactole** CY
44 bd St-Germain (5e) ✆ 46 33 31 31, Fax 46 33 07 60
AE GB JCB
*fermé sam. midi* – **Repas** 149/279 et carte 240 à 350.

XX **Dodin-Bouffant** CY
25 r. F.-Sauton (5e) ✆ 43 25 25 14, Fax 43 29 52 61
☂ – ▤. AE ◑ GB JCB
*fermé sam. midi et dim.* – **Repas** 215.

XX **Campagne et Provence** CY
25 quai Tournelle (5e) ✆ 43 54 05 17, Fax 42 74 67 55
▤. GB JCB
*fermé lundi midi, sam. midi et dim.* – **Repas** 129 (déj.)et carte 170 à 220.

XX **Yugaraj** BX
14 r. Dauphine (6e) ✆ 43 26 44 91, Fax 46 33 50 77
▤. AE ◑ GB JCB. ✗
*fermé lundi midi* – **Repas** - cuisine indienne - 130 (déj.), 180/22 et carte 180 à 290.

XX **Le Chat Grippé** BZ
87 r. Assas (6e) ✆ 43 54 70 00 – ▤. GB JCB
*fermé août, sam. midi et lundi* – **Repas** 160 (déj.), 235/320 et carte 280 à 35(

XX **L'Arrosée** BY
12 r. Guisarde (6e) ✆ 43 54 66 59
▤. AE ◑ GB JCB. ✗
**Repas** 145/210 et carte 260 à 420.

XX **La Truffière** CY
4 r. Blainville (5e) ✆ 46 33 29 82
▤. AE ◑ GB – *fermé août, 20 au 27 déc. et lundi* – **Repas** 190 ♁.

XX **Marty** CZ
20 av. Gobelins (5e) ✆ 43 31 39 51, Fax 43 37 63 70
brasserie – AE ◑ GB – **Repas** 185 et carte 180 à 320.

XX ✿ **La Timonerie** (de Givenchy) CY
35 quai Tournelle (5e) ✆ 43 25 44 42
▤. GB
*fermé vacances de printemps, 31 juil. au 20 août, lundi midi et dim.* – **Repa** 225 et carte 275 à 265
**Spéc.** Terrine de volaille "façon coq au vin". Sandre rôti, choux et pommes de terre e vinaigrette. Tarte fine au chocolat.

XX **Mavrommatis** CZ 8
42 r. Daubenton (5e) ✆ 43 31 17 17, Fax 43 36 13 08
▤. GB. ⚘
*fermé lundi et le midi sauf sam. et dim.* – **Repas** - cuisine grecque - 120 et carte 160 à 230.

XX **L'Arbuci** BX 32
25 r. Buci (6e) ✆ 44 41 14 14, Fax 44 41 14 10
brasserie – ▤. AE GB
**Repas** 72 (déj.), 78/133 et carte 150 à 240 ♁.

XX **La Marlotte** AY 22
55 r. Cherche-Midi (6e) ✆ 45 48 86 79, Fax 45 44 34 80
AE ⓞ GB JCB. ⚘
*fermé août, sam. et dim.* – **Repas** carte 200 à 300.

XX **Bistrot d'Alex** BY 24
2 r. Clément (6e) ✆ 43 54 09 53
▤. AE GB JCB
*fermé 24 déc. au 2 janv. et dim.* – **Repas** 140/190 et carte 190 à 300.

XX **Petit Germain** AY 3
11 r. Dupin (6e) ✆ 42 22 64 56
AE GB
*fermé août, sam. et dim.* – **Repas** carte 180 à 250.

XX **Le Sybarite** BX 12
6 r. Sabot (6e) ✆ 42 22 21 56, Fax 42 22 26 21
▤. AE ⓞ GB
*fermé sam. midi et dim.* – **Repas** 78 (déj.), 120/170 ♁.

XX **Joséphine "Chez Dumonet"** AY 37
117 r. Cherche-Midi (6e) ✆ 45 48 52 40, Fax 42 84 06 83
bistrot – GB JCB
*fermé juil., sam. et dim.* – **Repas** 235 et carte 220 à 330
- ***La Rôtisserie*** ✆ 42 22 81 19 *(fermé lundi)* **Repas** carte 190 à 290.

XX **Chez Maître Paul** BY 27
12 r. Monsieur-le-Prince (6e) ✆ 43 54 74 59, Fax 46 34 58 33
AE ⓞ GB
*fermé sam. midi et dim.* – **Repas** 180 bc et carte 170 à 310.

XX **Chez Toutoune** CY 13
5 r. Pontoise (5e) ✆ 43 26 56 81, Fax 43 25 35 93
AE GB
*fermé lundi midi et dim.* – **Repas** 100 (déj.)/150.

XX **Inagiku** CY 9
14 r. Pontoise (5e) ✆ 43 54 70 07, Fax 40 51 74 44
▤. GB JCB
*fermé le midi du 1er au 15 août et dim.* – **Repas** - cuisine japonaise - 108 (déj.), 138/348.

XX **Au Grilladin** BY 9
13 r. Mézières (6e) ✆ 45 48 30 38
AE GB
*fermé août, Noël au Jour de l'An, lundi midi et dim.* – **Repas** 159 et carte 200 à 300.

X **Allard** BX 13
41 r. St-André-des-Arts (6e) ✆ 43 26 48 23, Fax 46 33 04 02
bistrot – AE ⓞ GB JCB
*fermé 31 juil. au 31 août, 23 déc. au 3 janv. et dim.* – **Repas** 200 et carte 260 à 450.

X **La Timbale St-Bernard** CY 2
16 r. Fossés St-Bernard (5e) ✆ 46 34 28 28, Fax 46 34 66 26
AE GB. ⚘
*fermé 31 juil. au 20 août, sam. et dim.* – **Repas** 128/158 et carte 160 à 210.

X **Moissonnier** CY 1
28 r. Fossés-St-Bernard (5e) ☏ 43 29 87 65
bistrot – GB
*fermé 29 juil. au 5 sept., dim. soir et lundi* – **Repas** carte 180 à 310.

X **Moulin à Vent "Chez Henri"** CY 3
20 r. Fossés-St-Bernard (5e) ☏ 43 54 99 37
bistrot – GB.
*fermé août, dim. et lundi* – **Repas** carte 240 à 320.

X **Le Rond de Serviette** AY
97 r. Cherche-Midi (6e) ☏ 45 44 01 02, Fax 42 22 50 10
AE O GB
*fermé 30 juil. au 17 août, sam. midi et dim.* – **Repas** 128 bc (déj.)/15
et carte 160 à 230.

X **Rôtisserie du Beaujolais** CY
19 quai Tournelle (5e) ☏ 43 54 17 47, Fax 44 07 12 04
GB
*fermé lundi* – **Repas** 160 bc/230 bc et carte 160 à 230.

X **Rôtisserie d'en Face** BX
2 r. Christine (6e) ☏ 43 26 40 98
AE GB JCB
*fermé sam. midi et dim.* – **Repas** 195.

X **Le Palanquin** BX 1
12 r. Princesse (6e) ☏ 43 29 77 66
GB
*fermé 7 au 20 août et dim.* – **Repas** - cuisine vietnamienne - 68 (déj.), 99/14
et carte 140 à 200.

X **Les Bookinistes** BX
53 quai Grands Augustins (6e) ☏ 43 25 45 94, Fax 43 25 23 07
AE GB
*fermé sam. midi et dim.* – **Repas** 160 et carte environ 200.

X **Bistrot du Port** CY 1
13 quai Montebello (5e) ☏ 40 51 73 19
GB.
*fermé lundi et mardi* – **Repas** 138/168 et carte 160 à 230.

X **Balzar** CY 3
49 r. Écoles (5e) ☏ 43 54 13 67, Fax 44 07 14 91
brasserie – AE GB
*fermé août et Noël au 1er janv.* – **Repas** carte 150 à 290.

X **Valérie Tortu** BZ
11 r. Grande Chaumière (6e) ☏ 46 34 07 58
GB
*fermé août, sam. midi et dim.* – **Repas** 78 et carte 160 à 230.

X **Bistro de la Grille** BY
14 r. Mabillon (6e) ☏ 43 54 16 87
GB
**Repas** 80 (déj.)/150.

# 7e arrondissement

TOUR EIFFEL

ÉCOLE MILITAIRE

INVALIDES

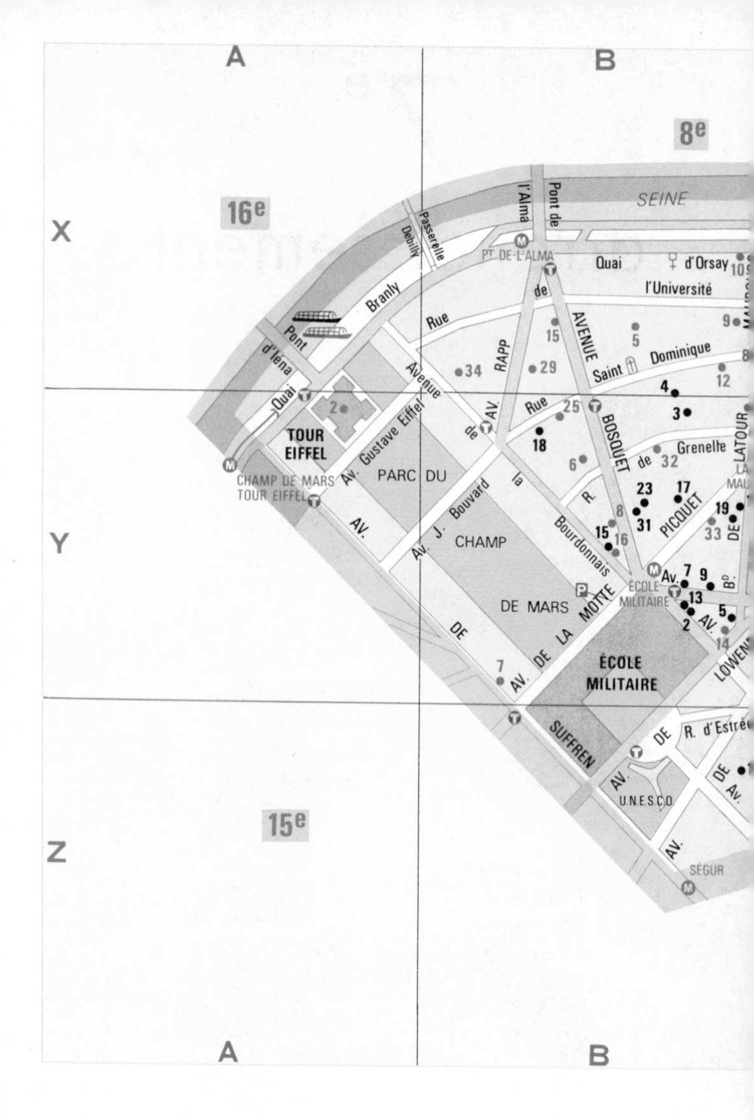


*Pour vous diriger dans* ***PARIS*** *: le* ***plan Michelin***
***tourisme*** *(n° 8)*
***transports*** *(n° 9)*
***en une feuille*** *(n° 10)*
***avec répertoire des rues*** *(n° 12)*
***un atlas avec répertoire des rues et adresses utiles*** *(n° 11)*
***un atlas avec répertoire des rues*** *(n° 14)*

*Pour visiter* ***Paris*** *: le* ***guide Vert Michelin***

*Ces ouvrages se complètent utilement.*

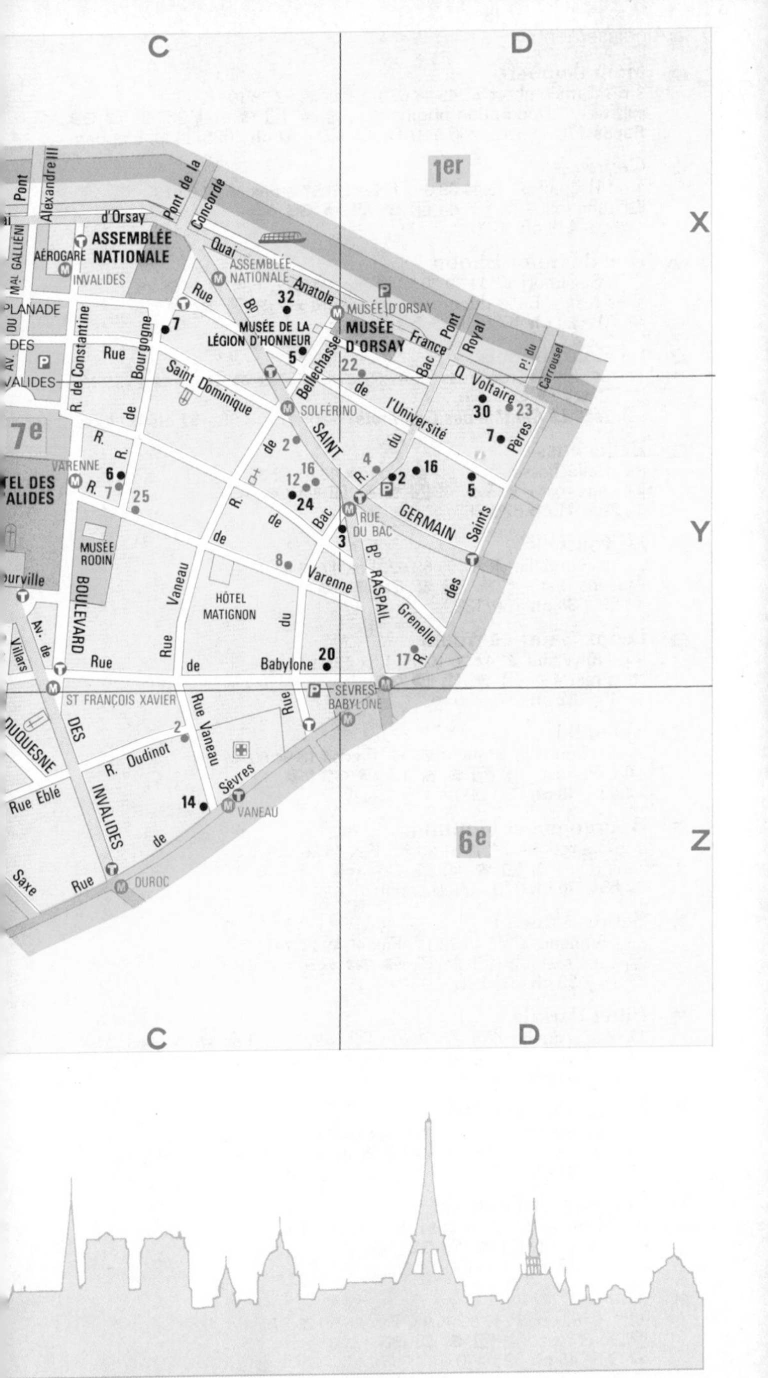
C
D
X
Y
Z
1er
7e
6e
ASSEMBLÉE NATIONALE
AÉROGARE
INVALIDES
MUSÉE DE LA LÉGION D'HONNEUR
MUSÉE D'ORSAY
SOLFÉRINO
VARENNE
MUSÉE RODIN
HÔTEL MATIGNON
RUE DU BAC
SÈVRES-BABYLONE
VANEAU
DUROC
Quai d'Orsay
Pont Alexandre III
Pont de la Concorde
Quai Anatole France
Pont Royal
Q. Voltaire
Pl. du Carrousel
Rue de Bourgogne
Rue Saint Dominique
R. de Constantine
Bd. Saint Germain
Rue de l'Université
R. du Bac
R. de Bellechasse
R. de Varenne
Rue Vaneau
Rue du Bac
Bd. Raspail
R. de Grenelle
Rue des Saints Pères
Rue de Babylone
Boulevard des Invalides
Av. de Villars
ST FRANÇOIS XAVIER
R. Oudinot
Rue Eblé
Rue de Sèvres
Saxe
Duquesne

**Montalembert** DY
3 r. Montalembert ✆ 45 48 68 11, Fax 42 22 58 19
M, « Décoration originale » – ascenseur TV ☎ – 25. AE GB
**Repas** 175 et carte 230 à 370 – 100 – **51 ch** 1625/2080, 5 appart.

**Cayré** DY
4 bd Raspail ✆ 45 44 38 88, Télex 270577, Fax 45 44 98 13
M sans rest – ch TV ☎. AE GB JCB
50 – **119 ch** 1400.

**Duc de Saint-Simon** CY
14 r. St-Simon ✆ 44 39 20 20, Télex 203277, Fax 45 48 68 25
sans rest, « Belle décoration intérieure » – TV ☎.
70 – **29 ch** 1065/1465, 5 appart.

**La Bourdonnais** BY
111 av. La Bourdonnais ✆ 47 05 45 42, Télex 201416, Fax 45 55 75 54
TV ☎. GB JCB
voir rest. ***La Cantine des Gourmets*** ci-après – 35 – **57 ch** 471/662, 3 appar

**Bellechasse** CX
8 r. Bellechasse ✆ 45 50 22 31, Fax 45 51 52 36
M sans rest – ch TV ☎. AE GB JCB
75 – **41 ch** 825/885.

**Le Tourville** BY
16 av. Tourville ✆ 47 05 62 62, Fax 47 05 43 90
M sans rest – TV ☎. AE GB
50 – **30 ch** 760/1390.

**Lenox Saint-Germain** DY
9 r. Université ✆ 42 96 10 95, Fax 42 61 52 83
sans rest – TV ☎. AE GB
45 – **32 ch** 590/830.

**Splendid** BY
29 av. Tourville ✆ 45 51 24 77, Fax 44 18 94 60
M sans rest – TV ☎. AE GB.
42 – **48 ch** 680/990.

**Bourgogne et Montana** CX
3 r. Bourgogne ✆ 45 51 20 22, Fax 45 56 11 98
sans rest – TV ☎. AE GB JCB
65 – **30 ch** 670/900, 6 appart.

**Sèvres Vaneau** CZ
86 r. Vaneau ✆ 45 48 73 11, Fax 45 49 27 74
M sans rest – TV ☎. AE GB JCB
75 – **39 ch** 760/815.

**Eiffel Park H.** BY
17 bis r. Amélie ✆ 45 55 10 01, Télex 202950, Fax 47 05 28 68
M sans rest – TV ☎ – 40. AE GB JCB.
53 – **36 ch** 795/835.

**Les Jardins d'Eiffel** BX
8 r. Amélie ✆ 47 05 46 21, Télex 206582, Fax 45 55 28 08
M sans rest – ch TV ☎. AE GB JCB
60 – **80 ch** 700/860.

**Verneuil St-Germain** DY
8 r. Verneuil ✆ 42 60 82 14, Fax 42 61 40 38
sans rest – TV ☎. AE GB.
50 – **26 ch** 700/1100.

**Muguet** BY
11 r. Chevert ✆ 47 05 05 93, Fax 45 50 25 37
M sans rest – TV ☎. AE GB
38 – **45 ch** 390/470.

**Relais Bosquet** BY 31
19 r. Champ-de-Mars ✆ 47 05 25 45, Fax 45 55 08 24
sans rest – |‡| TV ☎ ♿. AE ⓓ GB
☕ 53 – **40 ch** 660/810.

**du Cadran** BY 23
10 r. Champ-de-Mars ✆ 40 62 67 00, Fax 40 62 67 13
M sans rest – |‡| ⇔ ch ▤ TV ☎. AE ⓓ GB.
☕ 45 – **42 ch** 850/920.

**Élysées Maubourg** BX 16
35 bd La Tour Maubourg ✆ 45 56 10 78, Fax 47 05 65 08
sans rest – |‡| TV ☎. AE ⓓ GB JCB
☕ 45 – **30 ch** 580/730.

**Saxe Résidence** BZ 19
9 villa Saxe ✆ 47 83 98 28, Télex 270139, Fax 47 83 85 47
sans rest – |‡| TV ☎. AE GB.
☕ 70 – **52 ch** 638/866.

**de Varenne** CY 6
44 r. Bourgogne ✆ 45 51 45 55, Télex 205329, Fax 45 51 86 63
sans rest – |‡| TV ☎. AE GB
☕ 45 – **24 ch** 490/670.

**Derby Eiffel H.** BY 2
5 av. Duquesne ✆ 47 05 12 05, Fax 47 05 43 43
sans rest – |‡| TV ☎. AE ⓓ GB JCB
☕ 50 – **43 ch** 630/690.

**Beaugency** BY 17
21 r. Duvivier ✆ 47 05 01 63, Fax 45 51 04 96
sans rest – |‡| TV ☎. AE ⓓ GB JCB
☕ 30 – **30 ch** 500/700.

**Londres** BY 18
1 r. Augereau ✆ 45 51 63 02, Fax 47 05 28 96
sans rest – |‡| TV ☎. AE ⓓ GB JCB.
☕ 40 – **30 ch** 495/595.

**Bersoly's** DY 30
28 r. Lille ✆ 42 60 73 79, Fax 49 27 05 55
sans rest – |‡| TV ☎. GB
*fermé août*
☕ 50 – **16 ch** 580/680.

**Chomel** CY 20
15 r. Chomel ✆ 45 48 55 52, Télex 206522, Fax 45 48 89 76
sans rest – |‡| ⇔ ch TV ☎. AE ⓓ GB JCB.
☕ 50 – **23 ch** 550/850.

**France** BY 5
102 bd La Tour Maubourg ✆ 47 05 40 49, Télex 205020, Fax 45 56 96 78
sans rest – |‡| TV ☎ ♿. AE GB
☕ 35 – **60 ch** 370/490.

**L'Empereur** BY 10
2 r. Chevert ✆ 45 55 88 02, Fax 45 51 88 54
sans rest – |‡| TV ☎. GB
☕ 36 – **38 ch** 416/456.

**Turenne** BY 7
20 av. Tourville ✆ 47 05 99 92, Fax 45 56 06 04
sans rest – |‡| TV ☎. AE ⓓ GB
☕ 35 – **34 ch** 305/510.

**Résidence Orsay** CX 32
93 r. Lille ✆ 47 05 05 27, Fax 47 05 29 48
sans rest – |‡| TV ☎. GB.
*fermé août*
☕ 35 – **32 ch** 230/480.

XXXX **Jules Verne** AY
✿ 2e étage Tour Eiffel, ascenseur privé pilier sud ✆ 45 55 61 44, Fax 47 05 29 4
< Paris – ▤. AE ⓓ GB. ✻
**Repas** 290 (déj.), 660/750 bc et carte 500 à 650
**Spéc.** Petit pain soufflé de tourteau. Entrecôte de veau de lait aux épices. Aumônière d
pommes, jus au cidre.

XXXX **Le Divellec** BX
✿✿ 107 r. Université ✆ 45 51 91 96, Fax 45 51 31 75
▤. AE ⓓ GB JCB. ✻
*fermé 23 déc. au 2 janv., lundi en juil.-août et dim.* – **Repas** - produits de l
mer - 270 (déj.)et carte 400 à 550
**Spéc.** Homard à la presse avec son corail. Aiguillettes de turbot en nage de girolles. Roug
poêlé sur fenouil confit.

XXXX **Arpège** (Passard) CY 2
✿✿ 84 r. Varenne ✆ 45 51 47 33, Fax 44 18 98 39
▤. AE ⓓ GB JCB
*fermé 4 au 22 août, dim. midi et sam.* – **Repas** 390 (déj.)/790 et cart
600 à 880
**Spéc.** Homard des Côtes d'Armor en aigre-doux. Dragée de pigeonneau à l'hydromel. Toma
confite farcie aux douze saveurs (dessert).

XXXX **Duquesnoy** BX 1
✿✿ 6 av. Bosquet ✆ 47 05 96 78, Fax 44 18 90 57
▤. AE GB JCB
*fermé 31 juil. au 15 août, sam. midi et dim.* – **Repas** 250 (déj.), 450/55
et carte 420 à 640
**Spéc.** Soupe de haricots tarbais à la truffe noire (nov. à mars). Bar au vermouth, rouell
d'oignon meunière. "Ripopée" de boeuf au vin de Graves.

XXX **Paul Minchelli** BY 2
✿ 54 bd La Tour Maubourg ✆ 47 05 89 86, Fax 45 56 03 84
▤. GB
*fermé août, dim., lundi et fériés* – **Repas** - produits de la mer - carte 320 à 48
**Spéc.** Bar et saumon tartare. Crevettes sautées au miel et piment. Sole au plat.

XXX **La Cantine des Gourmets** BY
✿ 113 av. La Bourdonnais ✆ 47 05 47 96, Fax 45 51 09 29
▤. AE GB JCB
**Repas** 240 bc (déj.), 320/420 et carte 320 à 480 ♁
**Spéc.** Cannelloni de homard. Noisette d'agneau en fine croûte d'olives. Sablé chocolat mi-cu
biscuit aux noisettes grillées.

XXX **Le Petit Laurent** CY
38 r. Varenne ✆ 45 48 79 64, Fax 45 44 15 95
AE ⓓ GB
*fermé août, sam. midi et dim.* – **Repas** 175/240 et carte 240 à 400.

XXX **La Boule d'Or** BX
✿ 13 bd La Tour Maubourg ✆ 47 05 50 18, Fax 47 05 91 21
▤. AE ⓓ GB JCB
*fermé sam. midi* – **Repas** 170/200
**Spéc.** Foie gras frais de canard. Chausson de langoustines. Soufflé chaud au citron.

XX **Le Bellecour** (Goutagny) BX
✿ 22 r. Surcouf ✆ 45 51 46 93, Fax 45 50 30 11
▤. AE ⓓ GB
*fermé août, sam. sauf le soir du 15 sept. au 15 juin et dim.* – **Repas** 160 (déj
250/380 et carte 310 à 410
**Spéc.** Truffière de Saint-Jacques (15 déc. au 30 mars). Lièvre à la cuillère (10 oct. au 31 janv
Quenelles de brochet.

XX **La Maison de l'Amérique Latine** CY
217 bd St-Germain ✆ 45 49 33 23, Fax 40 49 03 94
☂, « Dans un hôtel particulier du 18e siècle, terrasse ouverte sur le jardin
– AE ⓓ GB. ✻
*fermé 1er au 22 août, sam., dim. et fériés* – **Repas** 215 (déj.), 270/300.

XX **Beato** BX 5
8 r. Malar ✆ 47 05 94 27
AE GB.
*fermé août, Noël au Jour de l'An, dim. et lundi* – **Repas** - cuisine italienne - 145 (déj.), 180/300 et carte 250 à 360.

XX **Ferme St-Simon** CY 16
6 r. St-Simon ✆ 45 48 35 74, Fax 40 49 07 31
AE GB
*fermé 5 au 16 août, sam. midi et dim.* – **Repas** 170 (déj.)et carte 230 à 330.

XX **Au Quai d'Orsay** BX 10
49 quai d'Orsay ✆ 45 51 58 58
AE GB
*fermé sam. midi et dim.* – **Repas** 180 et carte 210 à 320.

XX **Récamier** (Cantegrit) DY 17
4 r. Récamier ✆ 45 48 86 58, Fax 42 22 84 76
AE GB JCB
*fermé dim.* – **Repas** carte 270 à 450
**Spéc.** Oeufs en meurette. Mousse de brochet sauce Nantua. Sauté de boeuf bourguignon.

XX **Les Glénan** CY 7
54 r. Bourgogne ✆ 47 05 96 65
AE GB
*fermé août, sam. et dim.* – **Repas** 150 bc (dîner)/195 et carte 260 à 340.

XX **Da Carlo** BX 34
20 r. Monttessuy ✆ 45 55 79 01
AE GB.
*fermé août, sam. midi et dim.* – **Repas** - cuisine italienne - 145 bc et carte 250 à 320.

XX **D'Chez Eux** BY 14
2 av. Lowendal ✆ 47 05 52 55, Fax 45 55 60 74
AE GB
*fermé août et dim.* – **Repas** 250 bc (déj.)et carte 280 à 430.

XX **Foc Ly** BY 7
71 av. Suffren ✆ 47 83 27 12, Fax 46 24 48 46
AE GB
**Repas** - cuisine chinoise et thaïlandaise - 140 bc/160 bc et carte 180 à 200.

XX **Gildo** BY 32
153 r. Grenelle ✆ 45 51 54 12, Fax 45 51 57 42
AE GB
*fermé 25 juil. au 25 août, lundi midi et dim.* – **Repas** - cuisine italienne - 150 (déj.)et carte 250 à 350.

XX **Le Champ de Mars** BY 33
17 av. La Motte-Picquet ✆ 47 05 57 99
AE GB
*fermé 16 juil. au 17 août, mardi soir et lundi* – **Repas** 118/159 et carte 180 à 310.

XX **Tan Dinh** DX 22
60 r. Verneuil ✆ 45 44 04 84, Fax 45 44 36 93
*fermé août et dim.* – **Repas** - cuisine vietnamienne - carte 240 à 310.

X **Gaya Rive-Gauche** DY 4
44 r. Bac ✆ 45 44 73 73
AE GB
*fermé août et dim.* – **Repas** - produits de la mer - carte 230 à 310.

X **Le Maupertu** BX 2
94 bd La Tour Maubourg ✆ 45 51 37 96
GB
*fermé sam. midi et dim.* – **Repas** 135 et carte 200 à 320.

X **Vin sur Vin** BX
20 r. Monttessuy ✆ 47 05 14 20
GB
*fermé 11 au 22 août, 23 déc. au 2 janv., lundi midi, sam. midi et dim.* – **Repa**
carte 220 à 330.

X **Le P'tit Troquet** BY
28 r. Exposition ✆ 47 05 80 39
bistrot – GB
*fermé 31 juil. au 21 août, sam. midi et dim.* – **Repas** 99 (déj.), 130/180 ♁.

X **Thoumieux** BX
79 r. St Dominique ✆ 47 05 49 75, Fax 47 05 36 96
avec ch, brasserie – ▤ rest TV ☎. GB
**Repas** 67 et carte 120 à 230 – ☕ 35 – **10 ch** 550/600.

X **Clémentine** BY
62 av. Bosquet ✆ 45 51 41 16
GB
*fermé 14 au 27 août, sam. midi, dim. et fériés* – **Repas** 189 bc.

X **Chez Collinot** CZ
1 r. P. Leroux ✆ 45 67 66 42
GB
*fermé août, sam. (sauf le soir de sept. à mai) et dim.* – **Repas** 1
et carte 180 à 270.

X **Le Sédillot** BX
2 r. Sédillot ✆ 45 51 95 82
« Décor Art Nouveau » – AE GB
*fermé sam. et dim.* – **Repas** 135/155.

X **La Fontaine de Mars** BY
129 r. St-Dominique ✆ 47 05 46 44, Fax 47 05 11 13
, bistrot – GB
*fermé dim.* – **Repas** carte 140 à 290 ♁.

X **L'Oeillade** CY
10 r. St-Simon ✆ 42 22 01 60
▤. GB
*fermé sam. midi et dim.* – **Repas** 120 (déj.), 160/195.

X **Du Côté 7eme** BX
29 r. Surcouf ✆ 47 05 81 65
bistrot – AE GB
*fermé 8 au 22 août, 24 déc. au 1er janv. et lundi* – **Repas** 175 bc.

X **La Calèche** DY
8 r. Lille ✆ 42 60 24 76, Fax 47 03 31 10
AE ⓓ GB JCB
*fermé 7 au 27 août, sam. et dim.* – **Repas** 130/170 et carte 180 à 290.

# 8e arrondissement

CHAMPS-ÉLYSÉES – CONCORDE

MADELEINE

ST-LAZARE – MONCEAU

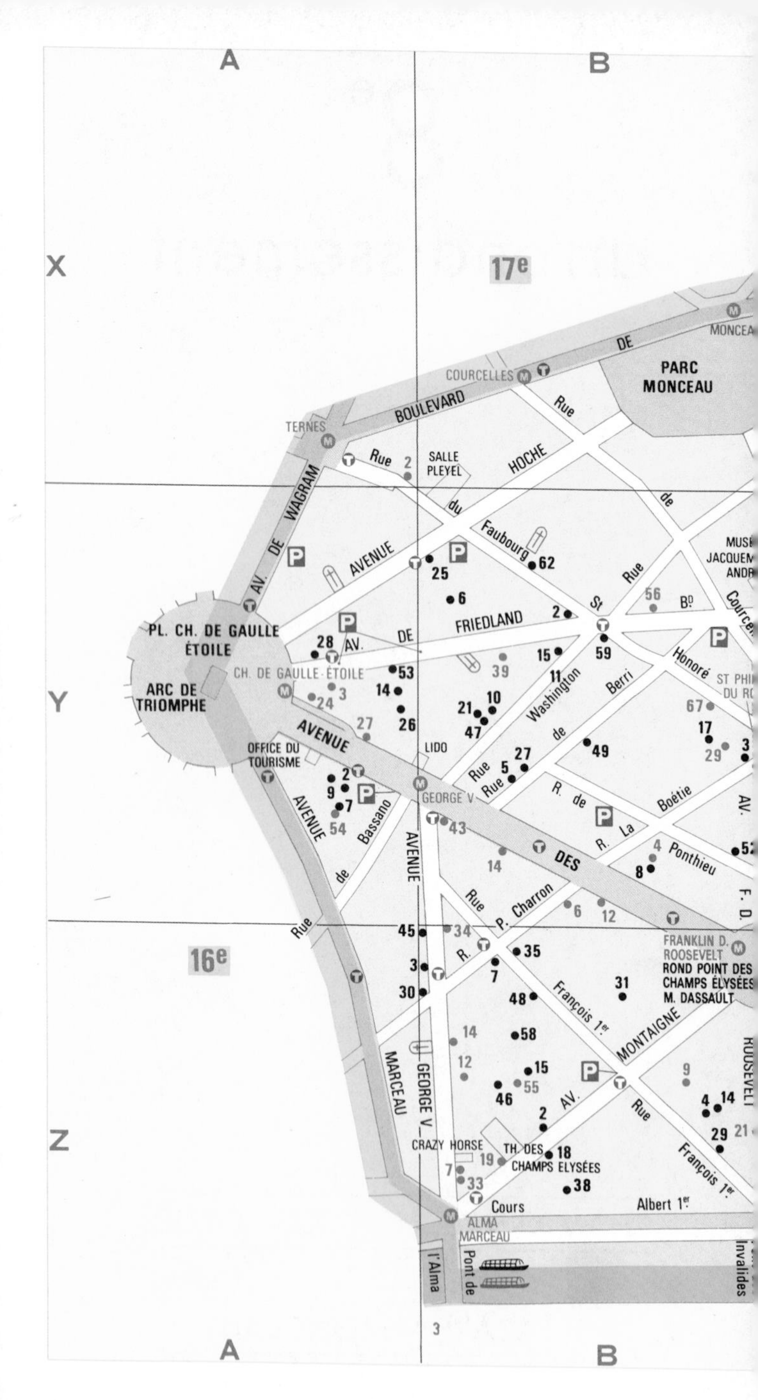

A
B
X
Y
Z
17e
16e
PARC MONCEAU
MONCEAU
COURCELLES
BOULEVARD DE
TERNES
SALLE PLEYEL
AV. DE WAGRAM
Rue du Faubourg St Honoré
AVENUE HOCHE
AV. DE FRIEDLAND
PL. CH. DE GAULLE ÉTOILE
ARC DE TRIOMPHE
CH. DE GAULLE-ÉTOILE
OFFICE DU TOURISME
AVENUE DES
LIDO
GEORGE V
Rue Washington
Rue de Berri
R. de La Boétie
Ponthieu
AVENUE de Bassano
AVENUE GEORGE V
Rue P. Charron
FRANKLIN D. ROOSEVELT
ROND POINT DES CHAMPS ÉLYSÉES M. DASSAULT
Rue François 1er
AV. MONTAIGNE
Rue MARCEAU
CRAZY HORSE
TH. DES CHAMPS ELYSÉES
Cours Albert 1er
ALMA MARCEAU
Pont de l'Alma
Invalides
MUSÉE JACQUEMART ANDRÉ
ST PHILIPPE DU ROULE

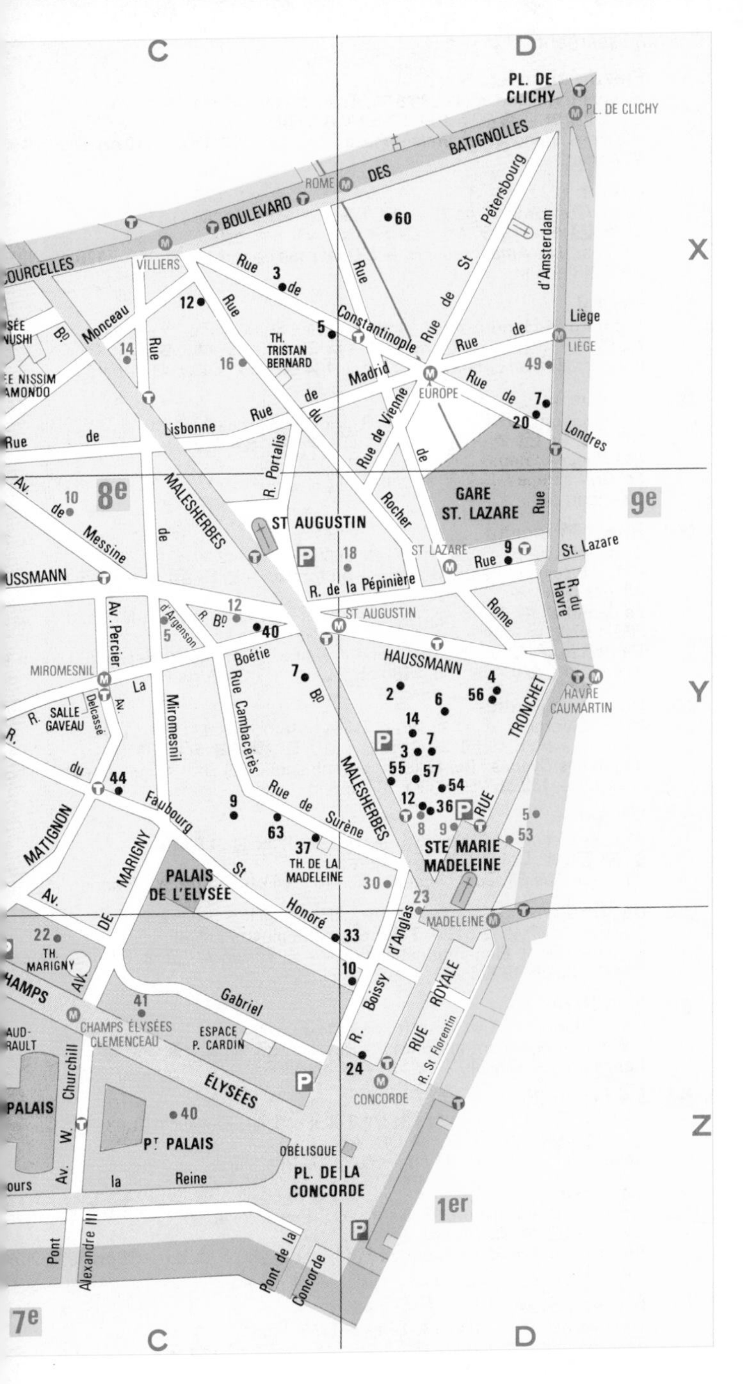

C
D
PL. DE CLICHY
PL. DE CLICHY
BOULEVARD DES BATIGNOLLES
ROME
COURCELLES
VILLIERS
Rue de St Pétersbourg
Rue d'Amsterdam
Rue de Constantinople
Rue de Madrid
Rue de Liège
LIÈGE
TH. TRISTAN BERNARD
Bd Monceau
EUROPE
Rue de Londres
Rue de Vienne
Rue de Lisbonne
R. Portalis
Rue du Rocher
GARE ST. LAZARE
Rue St. Lazare
ST LAZARE
8e
9e
X
Y
Z
Av. de Messine
MALESHERBES
ST AUGUSTIN
R. de la Pépinière
HAUSSMANN
ST AUGUSTIN
R. du Havre
Rue de Rome
Av. Percier
R. d'Argenson
R. Bd
Boétie
MIROMESNIL
HAUSSMANN
HAVRE CAUMARTIN
TRONCHET
R. SALLE GAVEAU
Av. Delcassé
La
Miromesnil
Rue Cambacérès
Bd MALESHERBES
Rue de Surène
RUE
STE MARIE MADELEINE
Faubourg St Honoré
MATIGNON
MARIGNY
PALAIS DE L'ELYSÉE
TH. DE LA MADELEINE
Av. DE
TH. MARIGNY
d'Anglas
MADELEINE
Gabriel
R. Boissy
RUE ROYALE
R. St Florentin
CHAMPS ÉLYSÉES CLEMENCEAU
ESPACE P. CARDIN
ÉLYSÉES
CONCORDE
Av. W. Churchill
PALAIS
Pt PALAIS
OBÉLISQUE
PL. DE LA CONCORDE
la Reine
1er
Pont Alexandre III
Pont de la Concorde
7e

**Plaza Athénée** BZ
25 av. Montaigne ☎ 47 23 78 33, Télex 650092, Fax 47 20 20 70
– 30 à 100. AE GB JCB
voir rest. ***Régence*** et ***Relais Plaza*** ci-après – 150 – **170 ch** 2400/315…
41 appart.

**Crillon** DZ
10 pl. Concorde ☎ 44 71 15 00, Télex 290204, Fax 44 71 15 02
– 30 à 60. AE GB JCB. rest
voir rest. ***Les Ambassadeurs*** et ***L'Obélisque*** ci-après – 150 – **120 ch** 280…
4000, 43 appart.

**Bristol** CY
112 r. Fg St-Honoré ☎ 42 66 91 45, Télex 280961, Fax 42 66 68 68
– ch – 30 à 60. AE GB JCB.
voir rest. ***Bristol*** ci-après – 155 – **154 ch** 2500/4400, 41 appart.

**George V** BZ
31 av. George-V ☎ 47 23 54 00, Télex 650082, Fax 47 20 40 00
– – 30 à 600. AE GB JCB
***Les Princes :*** **Repas** 240/450 et carte 370 à 550
***Le Grill :*** **Repas** 198 et carte 260 à 350 – 130 – **221 ch** 1800/390…
39 appart.

**Royal Monceau** BY
37 av. Hoche ☎ 42 99 88 00, Télex 650361, Fax 42 99 89 90
, « Piscine et centre de remise en forme » – – 25 à 100. …
GB JCB.
***Le Jardin*** ☎ 42 99 98 70 *(fermé sam. et dim.)* **Repas** 280 (déj.)/420 et car…
360 à 570
***Carpaccio*** ☎ 42 99 98 90, cuisine italienne *(fermé août)* **Repas** 280 (déj.) …
carte 290 à 420 – 130 – **180 ch** 2100/3200, 39 appart.

**Prince de Galles** BZ
33 av. George-V ☎ 47 23 55 11, Télex 651627, Fax 47 20 96 92
– ch – 40 à 110. AE GB JCB.
***Jardin des Cygnes :*** **Repas** (dim. brunch seul. 270) 260/380 et carte 350 à 58…
– 125 – **139 ch** 2500/3300, 31 appart.

**Vernet** AY
25 r. Vernet ☎ 44 31 98 00, Télex 651347, Fax 44 31 85 69
. AE GB JCB. rest
voir rest. ***Les Élysées*** ci-après – 115 – **54 ch** 1550/2250, 3 appart.

**de Vigny** AY
9 r. Balzac ☎ 40 75 04 39, Télex 651822, Fax 40 75 05 81
M sans rest, « Élégante installation » – ch . AE GB
90 – **25 ch** 1900/2200, 12 appart.

**San Régis** BZ
12 r. J. Goujon ☎ 44 95 16 16, Fax 45 61 05 48
« Bel aménagement intérieur » – ch . AE GB.
**Repas** carte 290 à 310 – 110 – **34 ch** 1600/2750, 10 appart.

**La Trémoille** BZ
14 r. La Trémoille ☎ 47 23 34 20, Télex 640344, Fax 40 70 01 08
– 25. AE GB JCB
**Repas** 190 – 100 – **94 ch** 1950/2930, 14 appart.

**Lancaster** BY
7 r. Berri ☎ 40 76 40 76, Télex 640991, Fax 40 76 40 00
– . AE GB JCB
**Repas** *(fermé août, sam. et dim.)* (déj. seul.) 250 – 120 – **52 ch** 1950/265…
7 appart.

**Élysées Star** AY
19 r. Vernet ☎ 47 20 41 73, Télex 651153, Fax 47 23 32 15
M sans rest – ch – 30. AE GB JCB
90 – **38 ch** 1700/1900, 4 appart.

**Balzac** AY 26
6 r. Balzac ☎ 45 61 97 22, Télex 651298, Fax 42 25 24 82
M – TV ☎. AE GB
***Bice*** ☎ 44 35 18 18 - cuisine italienne *(fermé 4 au 29 août, 22 déc. au 8 janv., sam. midi et dim.)* **Repas** carte 270 à 370 – 90 – **56 ch** 1650/2200, 14 appart.

**Golden Tulip St-Honoré** BY 62
220 r. Fg St-Honoré ☎ 49 53 03 03, Télex 650657, Fax 40 75 02 00
M – cuisinette ch TV ☎ – 190. AE GB JCB
***Relais Vermeer*** *(fermé 5 au 28 août et dim.)* **Repas** 195 et carte 250 à 380 – 110 – **54 ch** 1500/1700, 18 appart.

**Château Frontenac** BZ 7
54 r. P. Charron ☎ 47 23 55 85, Télex 644994, Fax 47 23 03 32
rest TV ☎ – 25. GB.
***Pavillon Frontenac*** ☎ 47 20 60 69 *(fermé août, sam. midi et dim.)* **Repas** 145 (déj.) 175 et carte 160 à 280 – 80 – **102 ch** 890/1650, 4 appart.

**Sofitel Arc de Triomphe** BY 6
14 r. Beaujon ☎ 45 63 04 04, Télex 650902, Fax 42 25 36 81
ch, rest TV ☎ – 40. AE GB JCB
***Le Clovis*** *(fermé août, 22 déc. au 2 janv., sam., dim. et fériés)* **Repas** 210 et carte 320 à 410 – 95 – **129 ch** 1550/1810, 6 appart.

**Bedford** DY 7
17 r. de l'Arcade ☎ 44 94 77 77, Télex 290506, Fax 44 94 77 97
TV ☎ – 80. AE GB. rest
**Repas** *(fermé 31 juil. au 27 août, sam. et dim.)* (déj. seul.) carte 250 à 360 – 70 – **137 ch** 750/950, 11 appart.

**Warwick** BY 5
5 r. Berri ☎ 45 63 14 11, Télex 642295, Fax 45 63 75 81
M – ch TV ☎ – 30 à 110. AE GB JCB. rest
voir rest. ***La Couronne*** ci-après – 105 – **142 ch** 2090/2650, 5 appart.

**California** BY 49
16 r. Berri ☎ 43 59 93 00, Télex 644634, Fax 45 61 03 62
– ch TV ☎ – 25 à 90. AE GB JCB
**Repas** *(fermé août, sam. et dim.)* carte 220 à 280 – 120 – **160 ch** 2200, 13 duplex.

**Résidence du Roy** BZ 29
8 r. François 1er ☎ 42 89 59 59, Télex 648452, Fax 40 74 07 92
M sans rest – cuisinette TV ☎ – 25. AE GB JCB
80, 28 appart. 1220/1720, 4 studios, 3 duplex.

**Queen Elizabeth** BZ 30
41 av. Pierre-1er-de-Serbie ☎ 47 20 80 56, Télex 641179, Fax 47 20 89 19
ch TV ☎ – 25 à 30. AE GB JCB
**Repas** *(fermé août et dim.)* (déj. seul.) 170/230 – 85 – **54 ch** 1100/1850, 12 appart.

**Concorde St-Lazare** DY 9
108 r. St-Lazare ☎ 40 08 44 44, Fax 42 93 01 20
« Hall fin 19e siècle, superbe salon de billards » – TV ☎ – 150. AE GB JCB
***Café Terminus*** ☎ 40 08 43 30 **Repas** 190 bc/280 bc, enf. 85 – 95 – **295 ch** 1260/1460, 5 appart.

**Napoléon** AY 28
40 av. Friedland ☎ 47 66 02 02, Fax 47 66 82 33
sans rest – TV ☎ – 100. AE GB JCB
70 – **70 ch** 1150/1650, 32 appart.

**Claridge Bellman** BZ
37 r. François 1er 47 23 54 42, Télex 641150, Fax 47 23 08 84
TV . AE GB. rest
**Repas** *(fermé août, 24 déc. au 2 janv., sam. et dim.)* 180 – 70 – **42 c**
1150/1350.

**Beau Manoir** DY
6 r. de l'Arcade 42 66 03 07, Fax 42 68 03 00
sans rest, « Bel aménagement intérieur » – TV . AE GB JCB
**29 ch** 995/1155, 3 appart.

**Marignan** BZ
12 r. Marignan 40 76 34 56, Télex 644018, Fax 40 76 34 34
M – ch TV – 50. AE GB JCB. ch
***La Table du Marché*** 40 76 34 44 *(fermé 1er au 15 août, sam. et dim.)* **Rep**
carte 200 à 300 – 115 – **57 ch** 1990/2200, 16 duplex.

**Sofitel Champs-Élysées** BZ
8 r. J. Goujon 43 59 52 41, Fax 49 53 08 42
M, – ch TV – 150. AE GB JCB
***Les Saveurs*** 45 63 17 44 *(fermé 1er au 27 août, sam. et dim.)* **Rep**
180 et carte 230 à 320 – 100 – **40 ch** 1450/1650.

**Chateaubriand** BY
6 r. Chateaubriand 40 76 00 50, Télex 641012, Fax 40 76 09 22
M sans rest – ch TV . AE GB JCB
65 – **28 ch** 1100/1400.

**Montaigne** BZ
6 av. Montaigne 47 20 30 50, Télex 648051, Fax 47 20 94 12
M sans rest – TV . AE GB JCB
90 – **29 ch** 1260/1850.

**Royal Alma** BZ
35 r. J. Goujon 42 25 83 30, Télex 641428, Fax 45 63 68 64
M sans rest – ch TV . AE GB JCB.
95 – **61 ch** 1380/1620, 3 appart.

**Paris St-Honoré** DZ
15 r. Boissy d'Anglas 44 94 14 14, Télex 281908, Fax 44 94 14 28
sans rest – TV . AE GB
85 – **104 ch** 800/1055, 8 appart.

**de l'Élysée** CY
12 r. Saussaies 42 65 29 25, Fax 42 65 64 28
sans rest – TV . AE GB JCB.
60 – **32 ch** 680/950.

**Élysées Ponthieu et résidence Le Cid** BY
24 r. Ponthieu 42 25 68 70, Télex 640053, Fax 42 25 80 82
sans rest – cuisinette ch TV . AE GB JCB
75 – **92 ch** 905/1600, 6 appart.

**Concortel** DY
19 r. Pasquier 42 65 45 44, Télex 660228, Fax 42 65 18 33
sans rest – TV . AE GB
50 – **46 ch** 600/750.

**Royal H.** AY
33 av. Friedland 43 59 08 14, Télex 651465, Fax 45 63 69 92
sans rest – TV . AE GB JCB
80 – **57 ch** 1220/1950.

**Powers** BZ
52 r. François 1er 47 23 91 05, Télex 642051, Fax 49 52 04 63
sans rest – TV . AE GB JCB
60 – **53 ch** 800/1250.

**Résidence Monceau** CX
85 r. Rocher 45 22 75 11, Télex 280671, Fax 45 22 30 88
sans rest – TV . AE GB.
48 – **51 ch** 670.

**Mathurins** DY 2
43 r. Mathurins ✆ 44 94 20 94, Télex 281271, Fax 44 94 00 44
M sans rest – ch TV. AE GB.
65 – **33 ch** 1000/1200, 3 appart.

**Castiglione** CZ 33
40 r. Fg St-Honoré ✆ 44 94 25 25, Télex 281906, Fax 42 65 12 27
TV – 80. AE GB
**Repas** 125/160 et carte 200 à 380 – 60 – **115 ch** 1250/1500.

**New Roblin et rest. le Mazagran** DY 54
6 r. Chauveau-Lagarde ✆ 44 71 20 80, Télex 285154, Fax 42 65 19 49
TV. AE GB JCB. rest
**Repas** *(fermé sam., dim. et fériés)* 115 et carte 230 à 320 – 60 – **75 ch** 700/900, 3 appart.

**West End** BZ 15
7 r. Clément-Marot ✆ 47 20 30 78, Télex 645434, Fax 47 20 34 42
sans rest – TV. AE GB JCB
50 – **54 ch** 650/1250.

**Lido** DY 36
4 passage Madeleine ✆ 42 66 27 37, Télex 269561, Fax 42 66 61 23
M sans rest – TV. AE GB JCB
**32 ch** 800/930.

**Galiléo** AY 7
54 r. Galilée ✆ 47 20 66 06, Fax 47 20 67 17
M sans rest – TV. AE GB JCB.
50 – **27 ch** 800/950.

**Friedland** BY 2
177 r. Fg St-Honoré ✆ 45 63 64 65, Fax 45 63 88 96
M sans rest – ch TV. AE GB JCB
75 – **40 ch** 1300.

**Queen Mary** 00 33 1 42 66 40 50 DY 4
9 r. Greffulhe ✆ 42 66 40 50, Télex 285419, Fax 42 66 94 92
M sans rest – TV. AE GB JCB.
65 – **36 ch** 710/890.

**Franklin Roosevelt** BZ 58
18 r. Clément-Marot ✆ 47 23 61 66, Télex 643665, Fax 47 20 44 30
sans rest – TV. AE GB.
55 – **45 ch** 790/890.

**Atlantic** DX 20
44 r. Londres ✆ 43 87 45 40, Télex 285477, Fax 42 93 06 26
sans rest – TV. AE GB JCB.
50 – **88 ch** 490/750.

**Waldorf Madeleine** DY 55
12 bd Malesherbes ✆ 42 65 72 06, Fax 40 07 10 45
M sans rest – ch TV. AE GB JCB
50 – **45 ch** 1400.

**Flèche d'Or** DX 7
29 r. Amsterdam ✆ 48 74 06 86, Télex 660641, Fax 48 74 06 04
M sans rest – ch TV. AE GB
35 – **61 ch** 550/750.

**Rochambeau** CY 40
4 r. La Boétie ✆ 42 65 27 54, Télex 285030, Fax 42 66 03 81
sans rest – ch TV. AE GB JCB
50 – **50 ch** 806/1012.

**Cordélia** DY 56
11 r. Greffulhe ✆ 42 65 42 40, Fax 42 65 11 81
sans rest – TV. AE GB
50 – **30 ch** 720/740.

**Newton Opéra** DY
11 bis r. de l'Arcade ☎ 42 65 32 13, Télex 280340, Fax 42 65 30 90
sans rest – |‡| ▤ TV ☎. AE ⓓ GB
☕ 50 – **31 ch** 680/830.

**Mayflower** BY
3 r. Chateaubriand ☎ 45 62 57 46, Télex 640727, Fax 42 56 32 38
sans rest – |‡| TV ☎. AE GB
☕ 50 – **24 ch** 660/970.

**Alison** CY
21 r. Surène ☎ 42 65 54 00, Fax 42 65 08 17
sans rest – |‡| TV ☎. AE ⓓ GB JCB. ✗
☕ 45 – **35 ch** 440/750.

**Fortuny** DY
35 r. de l'Arcade ☎ 42 66 42 08, Télex 280656, Fax 42 66 00 32
sans rest – |‡| TV ☎. AE ⓓ GB
☕ 45 – **30 ch** 650/750.

**Astoria** DX
42 r. Moscou ☎ 42 93 63 53, Télex 290061, Fax 42 93 30 30
sans rest – |‡| ✗ ch TV ☎. AE ⓓ GB JCB. ✗
☕ 50 – **83 ch** 790/990.

**Plaza Haussmann** BY
177 bd Haussmann ☎ 45 63 93 83, Fax 45 61 14 30
sans rest – |‡| TV ☎. AE ⓓ GB
☕ 30 – **41 ch** 715/850.

**L'Orangerie** CX
9 r. Constantinople ☎ 45 22 07 51, Fax 45 22 16 49
sans rest – |‡| TV ☎. AE ⓓ GB JCB. ✗
☕ 35 – **29 ch** 565/665.

**Lord Byron** BY
5 r. Chateaubriand ☎ 43 59 89 98, Télex 649662, Fax 42 89 46 04
sans rest, ✗ – |‡| TV ☎. AE GB. ✗
☕ 50 – **31 ch** 660/970.

**Arc Élysée** BY
45 r. Washington ☎ 45 63 69 33, Fax 45 63 76 25
M sans rest – |‡| ▤ TV ☎ ♿. AE ⓓ GB JCB
☕ 50 – **23 ch** 750/900.

**Bradford** BY
10 r. St-Philippe-du-Roule ☎ 45 63 20 20, Télex 648530, Fax 45 63 20 07
sans rest – |‡| TV ☎. AE ⓓ GB JCB. ✗
☕ 50 – **48 ch** 890/990.

**Colisée** BY
6 r. Colisée ☎ 43 59 95 25, Fax 45 63 26 54
sans rest – |‡| ▤ TV ☎. AE ⓓ GB JCB
☕ 35 – **45 ch** 620/830.

**Rond-Point des Champs-Elysées** BY
10 r. Ponthieu ☎ 43 59 55 58, Télex 642386, Fax 45 63 99 75
sans rest – |‡| TV ☎. AE ⓓ GB JCB. ✗
☕ 35 – **44 ch** 530/680.

**Madeleine Haussmann** DY
10 r. Pasquier ☎ 42 65 90 11, Fax 42 68 07 93
M sans rest – |‡| TV ☎. AE ⓓ GB
☕ 30 – **36 ch** 600.

**Ministère** CY
31 r. Surène ☎ 42 66 21 43, Fax 42 66 96 04
sans rest – |‡| TV ☎. AE GB JCB
☕ 45 – **28 ch** 410/660.

**New Orient** CX 3
16 r. Constantinople ✆ 45 22 21 64, Fax 42 93 83 23
sans rest – . AE GB
38 – **30 ch** 380/480.

**Lavoisier-Malesherbes** CY 7
21 r. Lavoisier ✆ 42 65 10 97, Fax 42 65 02 43
sans rest – . GB.
35 – **32 ch** 400/470.

**Lucas-Carton** (Senderens) DZ 23
9 pl. Madeleine ✆ 42 65 22 90, Fax 42 65 06 23
« Authentique décor 1900 » – . AE GB JCB.
*fermé 29 juil. au 23 août, 24 déc. au 3 janv., sam. midi et dim.* – **Repas** 375 (déj.), 750/1850 bc et carte 580 à 900
**Spéc.** Foie gras au chou. Homard à la vanille. Canard Apicius rôti au miel et aux épices.

**Lasserre** BZ 21
17 av. F.-D.-Roosevelt ✆ 43 59 53 43, Fax 45 63 72 23
« Toit ouvrant » – . AE GB.
*fermé 30 juil. au 28 août, lundi midi et dim.* – **Repas** carte 500 à 800
**Spéc.** Poêlée de langoustines au coulis de homard. Filet et rognons d'agneau, lasagne de légumes. Brioché de pomme à la cannelle.

**Taillevent** (Vrinat) BY 39
15 r. Lamennais ✆ 44 95 15 01, Fax 42 25 95 18
. AE GB JCB.
*fermé 22 juil. au 21 août, sam., dim. et fériés* – **Repas** (nombre de couverts limité - prévenir) carte 530 à 720
**Spéc.** Crème de cresson au caviar. Poulette de Bresse en cocotte. Dacquoise aux deux parfums.

**Les Ambassadeurs** - Hôtel Crillon DZ 24
10 pl. Concorde ✆ 44 71 16 16, Télex 290204, Fax 44 71 15 02
« Cadre 18e siècle » – . AE GB JCB.
**Repas** 350 (déj.)/620 et carte 440 à 730
**Spéc.** Bar croustillant aux graines de sésame, semoule au jus de homard. Suprême de pintade fermière poêlé à l'étouffée. Truffe glacée à la fleur de thym frais, ganache au chocolat "Manjari".

**Ledoyen** CZ 40
carré Champs-Élysées (1er étage) ✆ 47 42 35 98, Fax 47 42 55 01
- voir aussi rest. ***Le Cercle*** – . AE GB JCB.
*fermé août, sam. et dim.* – **Repas** 290 (déj.)/520 et carte 450 à 680
**Spéc.** Truffes en feuilleté de pommes de terre (fin déc. à fin fév.). Tronçon de turbot rôti à la bière de garde et oignons frits. Pigeonneau aux deux cuissons aux champignons sauvages.

**Laurent** CZ 22
41 av. Gabriel ✆ 42 25 00 39, Fax 45 62 45 21
« Agréable terrasse d'été » – AE GB.
*fermé sam. midi, dim. et fériés* – **Repas** 380 et carte 600 à 1 020
**Spéc.** Langoustines croustillantes au basilic. Rognon de veau cuit dans sa graisse, gratin de macaroni. Feuillantine chocolat-noisette.

**Bristol** - Hôtel Bristol CY 44
112 r. Fg St-Honoré ✆ 42 66 91 45, Télex 280961, Fax 42 66 68 68
. AE GB JCB.
**Repas** 340/630 et carte 460 à 770
**Spéc.** Raviole ouverte de homard aux poivrons et tomates confites. Filet de daurade caramélisée au miel de fleurs. Ris de veau rôti aux pommes vertes et beurre de cidre.

**Régence** - Hôtel Plaza Athénée BZ
25 av. Montaigne 47 23 78 33, Télex 650092, Fax 47 20 20 70
**Repas** 330 et carte 440 à 740
**Spéc.** Soufflé de homard. Rouelles de filet de veau rôti, "royan" à la crème et au pers
Macaron Nelusko à la mousseline café.

**Les Élysées** - Hôtel Vernet AY
25 r. Vernet 44 31 98 00, Fax 44 31 85 69
« Belle verrière »
*fermé 31 juil. au 27 août, 18 au 24 déc., sam., dim. et fériés* – **Repas** 3(
(déj.)/450 et carte 360 à 500
**Spéc.** Epeautre du pays de Sault cuisiné comme un risotto. Chapon de Méditerranée farci
braisé. Poire rôtie aux gros raisins de Malaga.

**Chiberta** AY
3 r. Arsène-Houssaye 45 63 77 90, Fax 45 62 85 08
*fermé 1er au 29 août, 25 déc. au 1er janv., sam. et dim.* – **Repas** 2(
et carte 410 à 650
**Spéc.** Bar de ligne au champagne et caviar. Poêlée de lapereau aux choux verts et romar
Craquelin de pommes aux graines de sésame, sorbet cannelle.

**La Marée** AX
1 r. Daru 43 80 20 00, Fax 48 88 04 04
*fermé 29 juil. au 28 août, sam. et dim.* – **Repas** - produits de la mer
carte 340 à 560
**Spéc.** Parmentier de tourteau, mâche à la vinaigrette de Xérés. Homard rôti au gingembre
petits légumes. Merlan en gondole, sauce tartare.

**La Table du Gouverneur** CZ
10 av. Champs-Élysées 42 65 85 10, Fax 42 65 76 23
**Repas** carte 200 à 260

**Fouquet's** BY
99 av. Champs Élysées 47 23 70 60, Fax 47 20 08 69
*(1er étage fermé 20 juil. au 30 août, sam. midi et dim.)* – **Repas** 250/4
et carte 290 à 410

**Maison Blanche** BZ
15 av. Montaigne (6e étage) 47 23 55 99, Fax 47 20 09 56
« Décor contemporain »
*fermé sam. midi et dim.* – **Repas** carte 380 à 520
**Spéc.** Ravioli de tomates confites au pistou. Tartare de boeuf aux aromates. Purée de pomn
de terre à la truffe (début déc. à fin mars).

**La Couronne** - Hôtel Warwick BY
5 r. Berri 45 63 78 49, Télex 642295, Fax 42 56 77 59
*fermé août, sam. midi, dim. et fériés* – **Repas** 190/390 bc et carte 250 à 46
**Spéc.** Lasagne de langoustines, crème de ciboulette. Pot-au-feu d'agneau à l'anis étoi
Aurore irisée, "dessert des quatre saisons".

**Le 30 - Fauchon** DY
30 pl. Madeleine 47 42 56 58, Fax 42 66 38 95
*fermé dim.* – **Repas** 240 (dîner)et carte 300 à 420.

**Copenhague** AY
142 av. Champs-Élysées (1er étage) 44 13 86 26, Fax 42 25 83 10
*fermé 30 juil. au 27 août, 1er au 8 janv., sam. midi en été, dim. et fériés*
**Repas** - cuisine danoise - 230 bc/295 et carte 300 à 460
- ***Flora Danica :*** **Repas** 190/270 et carte 230 à 370
**Spéc.** Saumon mariné à l'aneth. Côtelette et filet de renne aux épices. Feuilleté aux mûr
jaunes (oct. à avril).

XXX **Le Cercle Ledoyen** CZ 40
carré Champs-Élysées (rez-de-chaussée) ✆ 47 42 76 02, Fax 47 42 55 01
– AE GB JCB.
*fermé dim.* – **Repas** carte 210 à 260.

XXX **Yvan** BY 13
1bis r. J. Mermoz ✆ 43 59 18 40, Fax 45 63 78 69
AE GB
*fermé sam. midi et dim.* – **Repas** 178/298 et carte 250 à 370.

XXX **Vancouver** (Decout) AY 3
4 r. Arsène Houssaye ✆ 42 56 77 77, Fax 42 56 50 52
AE GB.
*fermé 29 juil. au 20 août, sam., dim. et fériés* – **Repas** - produits de la mer - 190/380 et carte 280 à 350
**Spéc.** Cassolette de homard breton aux champignons. Daurade laquée au cidre. Brandade de rouget barbet.

XXX **L'Obélisque** - Hôtel Crillon DZ 24
6 r. Boissy d'Anglas ✆ 44 71 15 15, Fax 44 71 15 02
AE GB JCB
*fermé août et fériés* – **Repas** (prévenir) 250.

XXX **Le Marcande** CY 5
52 av. Miromesnil ✆ 42 65 19 14, Fax 40 76 03 27
– AE GB
*fermé 5 au 22 août, sam. et dim.* – **Repas** 225 et carte 230 à 400.

XXX **Relais-Plaza** - Hôtel Plaza Athénée BZ 2
21 av. Montaigne ✆ 47 23 46 36, Télex 650092, Fax 47 20 20 70
AE GB JCB
*fermé août* – **Repas** 285 bc et carte 300 à 520.

XXX **Les Géorgiques** BZ 34
36 av. George V ✆ 40 70 10 49
AE GB JCB.
*fermé sam. midi et dim.* – **Repas** 180 (déj.)/360 et carte 330 à 500.

XXX **Indra** BY 29
10 r. Cdt-Rivière ✆ 43 59 46 40, Fax 44 07 29 90
AE GB
*fermé dim.* – **Repas** - cuisine indienne - 195 (déj.), 220/300 et carte 180 à 270.

XXX **Hédiard** DY 9
21 pl. Madeleine ✆ 43 12 88 99, Fax 43 12 88 98
AE GB JCB
*fermé dim.* – **Repas** carte 210 à 340.

XX **Fermette Marbeuf** BZ 12
5 r. Marbeuf ✆ 47 23 31 31, Fax 40 70 02 11
« Décor 1900, céramiques et vitraux d'époque » – AE GB
**Repas** 160 et carte 230 à 340.

XX **Chez Tante Louise** DY 30
41 r. Boissy d'Anglas ✆ 42 65 06 85, Fax 42 65 28 19
AE GB JCB
*fermé août* – **Repas** 190 et carte 200 à 340.

XX **Le Boeuf sur le Toit** BY 31
34 r. Colisée ✆ 43 59 83 80, Fax 45 63 45 40
brasserie – AE GB
**Repas** carte 160 à 300.

XX **Le Sarladais** DY 18
2 r. Vienne ✆ 45 22 23 62, Fax 45 22 23 62
AE GB
*fermé août, sam. midi et dim.* – **Repas** 145 (dîner)/200 et carte 240 à 320.

XX **Le Grenadin** CX
46 r. Naples ✆ 45 63 28 92, Fax 45 61 24 76
▤. AE ⓞ GB
*fermé 13 au 17 juil., 12 au 16 août, 23 au 26 déc., sam. sauf le soir de sept. avril, dim. et fériés* – **Repas** 188/320 et carte 360 à 440.

XX **Androuët** DX
41 r. Amsterdam ✆ 48 74 26 93, Fax 49 95 02 54
▤. AE ⓞ GB JCB.
*fermé dim. et fériés* – **Repas** - fromages et cuisine fromagère - 175 (déj.)/25
et carte 200 à 350.

XX **La Luna** CX
69 r. Rocher ✆ 42 93 77 61, Fax 40 08 02 44
▤. AE GB JCB
*fermé dim.* – **Repas** - produits de la mer - carte 270 à 350.

XX **Kinugawa** BY
4 r. St-Philippe du Roule ✆ 45 63 08 07, Fax 42 60 45 21
▤. AE ⓞ GB JCB.
*fermé 23 déc. au 7 janv. et dim.* – **Repas** - cuisine japonaise - carte 210 à 32

XX **Finzi** BZ
24 av. George V ✆ 47 20 14 78, Fax 47 20 10 08
▤. AE ⓞ GB
*fermé sam. midi et dim. midi* – **Repas** - cuisine italienne - 130 bc (dé
et carte 180 à 270.

XX **Le Lloyd's** CY
23 r. Treilhard ✆ 45 63 21 23
AE GB
*fermé 23 déc. au 1er janv., sam. et dim.* – **Repas** 180 (dîner)/200
carte 250 à 345.

XX **Suntory** BY
13 r. Lincoln ✆ 42 25 40 27, Fax 45 63 25 86
▤. AE ⓞ GB JCB.
*fermé sam. midi, dim. et fériés* – **Repas** - cuisine japonaise - 135 (déj.
350/580 et carte 360 à 460.

XX ✿ **Marius et Janette** BZ
4 av. George V ✆ 47 23 41 88, Fax 47 23 07 19
– ▤. AE ⓞ GB JCB
*fermé 24 au 30 déc.* – **Repas** - produits de la mer - 300 bc et carte 300 à 40
**Spéc.** Carpaccio de thon au basilic (juin-sept.). Merlan frit sauce tartare (avril-oct.). Langoustines à l'huile d'olive vierge.

XX **Daniel Météry** DY
4 r. Arcade ✆ 42 65 53 13, Fax 42 66 53 82
AE GB
*fermé 5 au 15 août, sam. midi et dim.* – **Repas** 180/260.

XX **Le Pichet** BY
68 r. P. Charron ✆ 43 59 50 34, Fax 45 63 07 82
AE ⓞ GB
*fermé 5 au 28 août, 22 déc. au 3 janv., sam. et dim.* – **Repas** carte 240 à 43

XX **Stresa** BZ
7 r. Chambiges ✆ 47 23 51 62
AE ⓞ
*fermé 1er au 31 août, 20 déc. au 2 janv., sam. soir et dim.* – **Repas** - cuisin
italienne - (prévenir) carte 210 à 440.

XX **L'Étoile Marocaine** AY
56 r. Galilée ✆ 47 20 54 45
▤. AE ⓞ GB JCB
**Repas** - cuisine marocaine - 161 bc/250 bc et carte 200 à 260.

XX **Village d'Ung et Li Lam** CY
10 r. J. Mermoz ✆ 42 25 99 79
▤. AE ⓞ GB
**Repas** - cuisine chinoise et thaïlandaise - 95/145 et carte 130 à 230.

XX **Bistrot du Sommelier** CY 12
97 bd Haussmann ✆ 42 65 24 85, Fax 53 75 23 23
▤. AE GB
*fermé 29 juil. au 27 août, 23 au 31 déc., sam. et dim.* – **Repas** 370 bc (dîner) et carte 250 à 340.

XX **L'Alsace** BY 12
39 av. Champs-Élysées ✆ 43 59 44 24, Fax 42 89 06 62
brasserie – ▤. AE ⓓ GB
**Repas** 185 et carte 190 à 280 .

XX **Tong Yen** BY 32
1 bis r. J. Mermoz ✆ 42 25 04 23, Fax 45 63 51 57
▤. AE ⓓ GB
*fermé 1er au 25 août* – **Repas** - cuisine chinoise - carte 280 à 350.

X **Ferme des Mathurins** DY 5
17 r. Vignon ✆ 42 66 46 39
ⓓ GB
*fermé août, dim. et fériés* – **Repas** 160/210 et carte 160 à 300.

X **Finzi** BY 56
182 bd Haussmann ✆ 45 62 88 68, Fax 45 61 41 05
▤. AE GB
*fermé 10 au 16 août et dim. midi* – **Repas** - cuisine italienne - carte 190 à 290.

X **Bistrot de Marius** BZ 7
6 av. George V ✆ 40 70 11 76, Fax 47 23 07 19
– AE ⓓ GB JCB
**Repas** - produits de la mer - 200 bc/250 bc et carte 170 à 260.

X **L'Appart'** BY 4
9 r. Colisée ✆ 53 75 16 34, Fax 53 76 15 39
▤. AE GB
**Repas** 140 bc et carte 170 à 230.

# 9$^e$ 10$^e$ arrondissements

OPÉRA – GRANDS BOULEVARDS

GARE DE L'EST – GARE DU NORD

RÉPUBLIQUE – PIGALLE

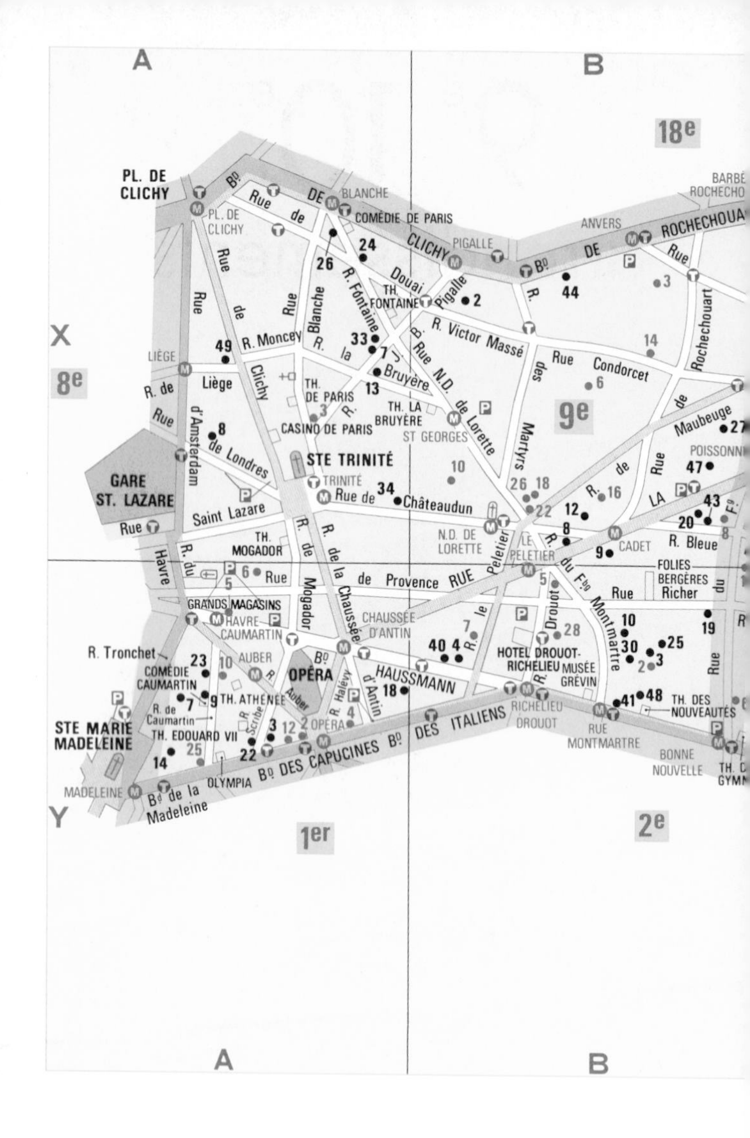


LES GUIDES MICHELIN :

*Guides Rouges (hôtels et restaurants) :*

Benelux - Deutschland - España Portugal - Main Cities Europe - France - Great Britain and Ireland - Italia - Suisse

*Guides Verts (paysages, monuments et routes touristiques) :*

Allemagne - Autriche - Belgique Luxembourg - Canada - Espagne - Grande Bretagne - Grèce - Hollande - Irlande - Italie - Londres - Maroc - New York - Nouvelle Angleterre - Portugal - Le Québec - Rome - Suisse

*et la collection sur la France.*

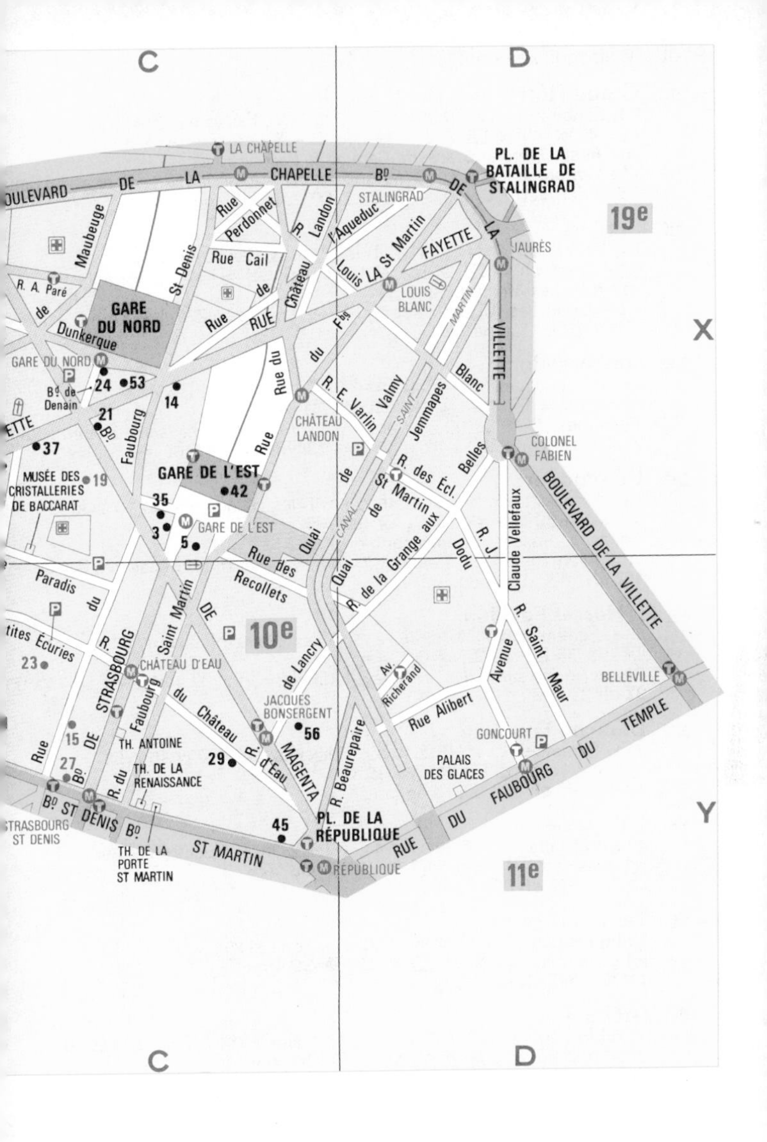
C
D
LA CHAPELLE
PL. DE LA BATAILLE DE STALINGRAD
BOULEVARD DE LA CHAPELLE
19e
STALINGRAD
Rue Perdonnet
R. Landon
l'Aqueduc
Louis Blanc
LA
FAYETTE
JAURÈS
Maubeuge
Rue Cail
St Denis
R. A. Paré
de Dunkerque
GARE DU NORD
Rue de Château
RUE LA FAYETTE
Louis LA St Martin
LOUIS BLANC
MARTIN
VILLETTE
X
Fbg du
Rue du
GARE DU NORD
24
53
Bd de Denain
14
21
Bd
Faubourg
R. E. Varlin
Valmy
Jemmapes
Blanc
SAINT
37
CHÂTEAU LANDON
Rue
COLONEL FABIEN
Belles
MUSÉE DES CRISTALLERIES DE BACCARAT
19
GARE DE L'EST
42
R. des Écl.
de
St Martin
Claude Vellefaux
BOULEVARD DE LA VILLETTE
35
GARE DE L'EST
3
5
Quai
CANAL
de
R. de la Grange aux
Dodu
R. J.
Rue des Recollets
Quai
Paradis
du
DE
Saint Martin
10e
R. Saint Maur
Petites Écuries
R.
23
STRASBOURG
CHÂTEAU D'EAU
de Lancry
Av. Richerand
Avenue
BELLEVILLE
du Château d'Eau
JACQUES BONSERGENT
56
Rue Alibert
TEMPLE
Faubourg
R. Beaurepaire
GONCOURT
15
TH. ANTOINE
MAGENTA
R.
DU
Rue
27
Bd
29
PALAIS DES GLACES
FAUBOURG
R. du
TH. DE LA RENAISSANCE
Bd ST DENIS
Bd
45
PL. DE LA RÉPUBLIQUE
DU
RUE
Y
STRASBOURG ST DENIS
TH. DE LA PORTE ST MARTIN
ST MARTIN
RÉPUBLIQUE
11e
C
D

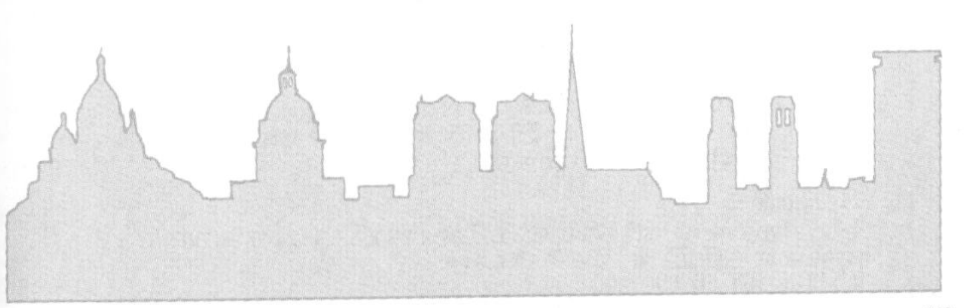

**Grand Hôtel Inter-Continental** AY
2 r. Scribe (9e) ✆ 40 07 32 32, Télex 220875, Fax 42 66 12 51
– ch – 300. AE GB JCB. rest
voir ***Rest. Opéra*** et ***Brasserie Café de la Paix*** ci-après
- ***La Verrière*** ✆ 40 07 31 00 *(fermé 24 juil. au 20 août, dim. soir et sam.)* **Repa**
165(dîner)/295 – 145 – **478 ch** 2300/2500, 15 appart.

**Scribe** AY
1 r. Scribe (9e) ✆ 44 71 24 24, Télex 214653, Fax 42 65 39 97
M – ch – 50. AE GB JCB. rest
voir rest. ***Les Muses*** ci-après
- ***Le Jardin des Muses :*** **Repas** 140 et carte 160 à 220 – 105 – **206 c**
1750/2200, 11 appart.

**Ambassador** BY
16 bd Haussmann (9e) ✆ 44 83 40 40, Télex 285912, Fax 42 46 19 84
ch – 110. AE GB JCB
***Venantius*** ✆ 48 00 06 38 *(fermé 28 juil. au 27 août, sam. et dim.)* **Repa**
210/380 et carte 280 à 460 – 95 – **298 ch** 1410/1710.

**Commodore** BY
12 bd Haussmann (9e) ✆ 42 46 72 82, Télex 280601, Fax 47 70 23 81
ch – 25. AE GB JCB
***Cancans*** (brasserie) **Repas** carte environ 200
***Le Carvery*** (déj. seul.) *(fermé juil.-août, sam. et dim.)* **Repas** 220 – 95
**162 ch** 1450, 9 appart.

**L'Horset Pavillon** BY
38 r. Échiquier (10e) ✆ 42 46 92 75, Télex 283905, Fax 42 47 03 97
M – . AE GB JCB
**Repas** *(fermé sam., dim. et fériés)* 160 bc et carte 200 à 310, enf. 50 – 80
**92 ch** 830/930.

**Blanche Fontaine** AX
34 r. Fontaine (9e) ✆ 45 26 72 32, Télex 660311, Fax 42 81 05 52
sans rest – . AE GB.
40 – **45 ch** 507/509, 4 appart.

**Lafayette** BX
49 r. Lafayette (9e) ✆ 42 85 05 44, Télex 283025, Fax 49 95 06 60
M sans rest – ch . AE GB JCB
75 – **103 ch** 825/885.

**Terminus Nord** CX
12 bd Denain (10e) ✆ 42 80 20 00, Fax 42 80 63 89
M sans rest – ch . AE GB JCB
75 – **245 ch** 905/960.

**Brébant** BY
32 bd Poissonnière (9e) ✆ 47 70 25 55, Télex 280127, Fax 42 46 65 70
rest – 25 à 100. AE GB JCB
**Repas** 89/158 et carte 200 à 340 – 48 – **122 ch** 760/890.

**St-Pétersbourg** AY
33 r. Caumartin (9e) ✆ 42 66 60 38, Télex 680001, Fax 42 66 53 54
ch, rest – 25. AE GB JCB. rest
**Repas** *(fermé août, sam. et dim.)* 140 et carte 180 à 290 – 70 – **100 c**
540/1020.

**Opéra Cadet** BX
24 r. Cadet (9e) ✆ 48 24 05 26, Télex 282287, Fax 42 46 68 09
M sans rest – ch . AE GB
60 – **82 ch** 710/990, 3 appart.

**Bergère** BY
34 r. Bergère (9e) ✆ 47 70 34 34, Télex 290668, Fax 47 70 36 36
sans rest – . AE GB JCB
50 – **131 ch** 690/990.

**Paix République** CY 45
2 bis bd St-Martin (10e) ✆ 42 08 96 95, Télex 680632, Fax 42 06 36 30
sans rest – ⚡ TV ☎. AE ⓓ GB. ✻
☕ 40 – **45 ch** 560/950.

**Frantour Paris Est** CX 42
cour d'Honneur gare de l'Est (10e) ✆ 44 89 27 00, Télex 217916, Fax 44 89 27 49
M sans rest – ⚡ ▤ TV ☎. AE GB
☕ 55 – **42 ch** 540/620, 3 appart.

**Anjou-Lafayette** BX 43
4 r. Riboutté (9e) ✆ 42 46 83 44, Fax 48 00 08 97
M sans rest – ⚡ TV ☎. AE ⓓ GB JCB
☕ 35 – **39 ch** 450/590.

**Trinité Plaza** AX 7
41 r. Pigalle (9e) ✆ 42 85 57 00, Télex 280110, Fax 45 26 41 20
M sans rest – ⚡ TV ☎ ♿. AE ⓓ GB JCB
☕ 30 – **42 ch** 550/630.

**Carlton's H.** BX 44
55 bd Rochechouart (9e) ✆ 42 81 91 00, Télex 285649, Fax 42 81 97 04
sans rest – ⚡ TV ☎. AE ⓓ GB JCB
☕ 46 – **103 ch** 614/668.

**Caumartin** AY 9
27 r. Caumartin (9e) ✆ 47 42 95 95, Télex 680702, Fax 47 42 88 19
M sans rest – ⚡ ⇔ ch TV ☎. AE ⓓ GB JCB
☕ 75 – **40 ch** 825/935.

**Franklin** BX 12
19 r. Buffault (9e) ✆ 42 80 27 27, Fax 48 78 13 04
M sans rest – ⚡ ⇔ ch TV ☎. AE ⓓ GB
☕ 75 – **68 ch** 760/815.

**Mercure Monty** BY 3
5 r. Montyon (9e) ✆ 47 70 26 10, Télex 660677, Fax 42 46 55 10
M sans rest – ⚡ ⇔ ch TV ☎ – 🪑 50. AE ⓓ GB JCB
☕ 58 – **71 ch** 735/780.

**Touraine Opéra** AX 34
73 r. Taitbout (9e) ✆ 48 74 50 49, Fax 42 81 26 09
M sans rest – ⚡ ⇔ ch TV ☎. AE ⓓ GB
☕ 75 – **39 ch** 760/815.

**Albert 1er** CX 14
162 r. Lafayette (10e) ✆ 40 36 82 40, Fax 40 35 72 52
M sans rest – ⚡ ▤ TV ☎. AE ⓓ GB. ✻
☕ 40 – **59 ch** 430/535.

**Moulin** AX 26
39 r. Fontaine (9e) ✆ 42 81 93 25, Fax 40 16 09 90
M sans rest – ⚡ ⇔ ch TV ☎. AE ⓓ GB JCB
☕ 75 – **50 ch** 785.

**Gd H. Haussmann** AY 18
6 r. Helder (9e) ✆ 48 24 76 10, Télex 285390, Fax 48 00 97 18
sans rest – ⚡ TV ☎. AE ⓓ GB. ✻
☕ 48 – **59 ch** 490/790.

**Printania** CY 29
19 r. Château d'Eau (10e) ✆ 42 01 84 20, Télex 215425, Fax 42 39 55 12
sans rest – ⚡ TV ☎. AE ⓓ GB. ✻
☕ 41 – **51 ch** 490/580.

**Corona** BY 48
8 cité Bergère (9e) ✆ 47 70 52 96, Télex 281081, Fax 42 46 83 49
🐎 sans rest – ⚡ TV ☎. AE ⓓ GB JCB
☕ 40 – **56 ch** 570/690, 4 appart.

**Résidence du Pré** — BX
15 r. P. Sémard (9e) 48 78 26 72, Fax 42 80 64 83
sans rest – TV ☎. AE GB
50 – **40 ch** 425/485.

**du Pré** — BX
10 r. P. Sémard (9e) 42 81 37 11, Télex 660549, Fax 40 23 98 28
sans rest – TV ☎. AE GB
50 – **40 ch** 425/545.

**Gotty** — BY
11 r. Trévise (9e) 47 70 12 90, Télex 660330, Fax 47 70 21 26
sans rest – TV ☎. AE GB JCB
25 – **44 ch** 630/740.

**Axel** — BY
15 r. Montyon (9e) 47 70 92 70, Télex 282200, Fax 47 70 43 37
sans rest – ch TV ☎. AE GB JCB
45 – **38 ch** 490/750.

**Monterosa** — AX
30 r. La Bruyère (9e) 48 74 87 90, Télex 281154, Fax 42 81 01 12
M sans rest – ch TV ☎. AE GB.
32 – **36 ch** 380/500.

**Français** — CX
13 r. 8-Mai 1945 (10e) 40 35 94 14, Télex 220401, Fax 40 35 55 40
sans rest – TV ☎. AE GB
30 – **71 ch** 415/460.

**Athènes** — AX
21 r. d'Athènes (9e) 48 74 00 55, Télex 285119, Fax 42 81 04 75
sans rest – TV ☎. AE GB JCB.
45 – **36 ch** 520/620.

**Gare du Nord** — CX
33 r. St-Quentin (10e) 48 78 02 92, Télex 281255, Fax 45 26 88 31
sans rest – TV ☎. AE GB.
40 – **48 ch** 390/540.

**Peyris** — BY
10 r. Conservatoire (9e) 47 70 50 83, Fax 40 22 95 91
sans rest – TV ☎. AE GB
30 – **50 ch** 470/560.

**Morny** — AX
4 r. Liège (9e) 42 85 47 92, Télex 660822, Fax 40 16 44 84
sans rest – TV ☎. AE GB JCB
50 – **41 ch** 460/580.

**St-Laurent** — CX
5 r. St-Laurent (10e) 42 09 59 79, Fax 42 09 83 50
M sans rest – TV ☎. AE GB.
40 – **44 ch** 500/650.

**Modern' Est** — CY
91 bd Strasbourg (10e) 40 37 77 20, Fax 40 37 17 55
sans rest – TV ☎. GB.
30 – **30 ch** 375/460.

**Capucines** — AY
6 r. Godot de Mauroy (9e) 47 42 25 05, Fax 42 68 05 05
sans rest – ch TV ☎. AE GB JCB
34 – **45 ch** 450/550.

**d'Estrées** — AX
2 bis cité Pigalle (9e) 48 74 39 22, Fax 45 96 04 09
sans rest – TV ☎. AE GB
40 – **23 ch** 490/590.

**Ibis Lafayette** — CX
122 r. Lafayette (10e) 45 23 27 27, Fax 42 46 73 79
sans rest – ch TV ☎. AE GB
37 – **70 ch** 401/451.

**Suède** CX 21
106 bd Magenta (10e) ✆ 40 36 10 12, Fax 40 36 11 98
sans rest – ch TV ☎. AE ⓓ GB JCB
☕ 45 – **52 ch** 445/505.

**Winston** BX 2
4 r. Frochot (9e) ✆ 48 78 05 28, Fax 48 78 06 07
sans rest – TV ☎. AE ⓓ GB JCB
☕ 35 – **23 ch** 390/490.

**Ribouté-Lafayette** BX 20
5 r. Riboutté (9e) ✆ 47 70 62 36, Fax 48 00 91 50
sans rest – TV ☎. AE GB JCB
☕ 30 – **24 ch** 400/450.

**Montréal** AY 7
23 r. Godot-de-Mauroy (9e) ✆ 42 65 99 54, Fax 49 24 07 33
sans rest – ch TV ☎. AE ⓓ GB
*fermé août*
☕ 35 – **14 ch** 285/600, 5 appart.

**Baccarat** BX 15
19 r. Messageries (10e) ✆ 47 70 96 92, Fax 47 70 96 92
sans rest – TV ☎. AE ⓓ GB
☕ 30 – **31 ch** 320/470.

**Résidence Magenta** CY 56
35 r. Y.-Toudic (10e) ✆ 42 40 17 72, Télex 216543, Fax 42 02 59 66
sans rest – ch TV ☎. AE ⓓ GB
☕ 35 – **32 ch** 320/390.

XXXX **Rest. Opéra** - Grand Hôtel Inter-Continental AY 2
pl. Opéra (9e) ✆ 40 07 30 10, Télex 220875, Fax 40 07 33 75
« Cadre Second Empire » – ▤. AE ⓓ GB JCB
*fermé août, 1er au 9 janv., sam. et dim.* – **Repas** 325 bc (déj.)/450 et carte 360 à 610.

XXXX ✿ **Les Muses** - Hôtel Scribe AY 22
1 r. Scribe (9e) ✆ 44 71 24 26, Fax 42 65 39 97
AE ⓓ GB JCB.
*fermé août, sam., dim. et fériés* – **Repas** 210/270 et carte environ 350
**Spéc.** Feuillantines de langoustines aux herbes. Filets de sole braisés au bacon. Noisettes de chevreuil sauce poivrade, pommes farcies aux truffes (oct. à fév.).

XXX ✿ **La Table d'Anvers** (Conticini) BX 3
2 pl. d'Anvers (9e) ✆ 48 78 35 21, Fax 45 26 66 67
▤. AE GB
*fermé sam. midi et dim.* – **Repas** 160 (déj.), 230/450 et carte 380 à 480
**Spéc.** Croustillant de langoustines en fondue épicée. Râble de lapin en reblochonnade. Croquettes au chocolat fondant.

XXX **Charlot "Roi des Coquillages"** AX 10
81 bd Clichy (9e) ✆ 48 74 49 64, Fax 40 16 11 00
▤. AE ⓓ GB
**Repas** - produits de la mer - 225 (déj.)et carte 260 à 370.

XXX **Le Louis XIV** CY 27
8 bd St-Denis (10e) ✆ 42 08 56 56, Fax 42 08 23 50
AE ⓓ GB
*fermé 1er juin au 31 août* – **Repas** 190 bc et carte 220 à 440.

XX **Au Chateaubriant** CX
23 r. Chabrol (10e) ✆ 48 24 58 94
collection de tableaux – ▤. AE GB. ✈
*fermé août, 3 au 12 fév., dim. et lundi* – **Repas** - cuisine italienne - 14
et carte 280 à 380.

XX **Brasserie Café de la Paix** - Grand Hôtel Inter-Continental AY
12 bd Capucines (9e) ✆ 40 07 30 20, Télex 220875, Fax 40 07 33 75
▤. AE ⓓ GB JCB
**Repas** carte 230 à 350 ♁.

XX **Julien** CY
16 r. Fg St-Denis (10e) ✆ 47 70 12 06, Fax 42 47 00 65
« Brasserie "Belle Époque" » – ▤. AE ⓓ GB
**Repas** carte 140 à 300 ♁.

XX **Grand Café Capucines** AY
4 bd Capucines (9e) ✆ 47 42 19 00, Fax 47 42 74 22
(ouvert jour et nuit), brasserie, « Décor "Belle Époque" » – AE ⓓ GB
**Repas** 185 et carte 180 à 390 ♁.

XX **Le Quercy** BX
36 r. Condorcet (9e) ✆ 48 78 30 61
AE ⓓ GB
*fermé 29 juil. au 29 août, dim. et fériés* – **Repas** 152 et carte 190 à 310.

XX **Le Franche-Comté** AY
2 bd Madeleine (Maison de la Franche-Comté) (9e) ✆ 49 24 99 0
Fax 49 24 01 63
▤. AE ⓓ GB JCB
*fermé dim.* – **Repas** 115/180 et carte 200 à 300.

XX **Le Saintongeais** BX
62 r. Fg Montmartre (9e) ✆ 42 80 39 92
AE ⓓ GB
*fermé 7 au 27 août, sam. et dim.* – **Repas** 135 et carte 180 à 250.

XX **Comme Chez Soi** BX
20 r. Lamartine (9e) ✆ 48 78 00 02, Fax 42 85 09 78
▤. AE GB JCB
*fermé août, sam., dim. et fériés* – **Repas** 140/350 et carte 210 à 330.

XX **Au Petit Riche** BY
25 r. Le Peletier (9e) ✆ 47 70 68 68, Fax 48 24 10 79
bistrot, « Cadre fin 19e siècle » – ▤. AE ⓓ GB JCB
*fermé dim.* – **Repas** 160 et carte 180 à 320 ♁.

XX **Bistrot Papillon** BX
6 r. Papillon (9e) ✆ 47 70 90 03
AE ⓓ GB
*fermé 15 au 23 avril, 5 au 27 août, sam. et dim.* – **Repas** 135 et carte 220
300 ♁.

XX **Brasserie Flo** CY
7 cour Petites-Écuries (10e) ✆ 47 70 13 59, Fax 42 47 00 80
« Cadre 1900 » – ▤. AE ⓓ GB
**Repas** carte 140 à 270 ♁.

XX **Aux Deux Canards** BY
8 r. Fg Poissonnière (10e) ✆ 47 70 03 23
rest. non-fumeurs exclusivement – ▤. AE ⓓ GB JCB
*fermé sam. midi et dim.* – **Repas** 120 ♁.

XX **Terminus Nord** CX
23 r. Dunkerque (10e) ✆ 42 85 05 15, Fax 40 16 13 98
brasserie – ▤. AE ⓓ GB
**Repas** carte 150 à 290 ♁.

XX **Grange Batelière** BY
16 r. Grange Batelière (9e) ✆ 47 70 85 15
bistrot – GB
*fermé août, sam. du 14 juil. au 15 sept., dim. et fériés* – **Repas** 198/28
et carte 240 à 360.

AY 10

XX **Gokado**
18 r. Caumartin (9e) ✆ 47 42 08 82, Fax 47 42 76 19
AE (D) GB JCB
*fermé 1er au 21 août, 24 déc. au 9 janv., sam. soir et dim.* – **Repas** - cuisine japonaise - 135 bc (déj.), 280 bc/700 bc et carte 240 à 370.

BY 12

XX **La P'tite Tonkinoise**
56 r. Fg Poissonnière (10e) ✆ 42 46 85 98
GB
*fermé 1er août au 5 sept., 22 déc. au 5 janv., dim. et lundi* – **Repas** - cuisine vietnamienne - carte 140 à 230.

BX 6

X **Wally Le Saharien**
36 r. Rodier (9e) ✆ 42 85 51 90, Fax 42 81 22 77
**Repas** - cuisine nord-africaine - 240.

BX 10

X **L'Oenothèque**
20 r. St-Lazare (9e) ✆ 48 78 08 76
GB
*fermé 14 août au 3 sept., vacances de fév., sam. et dim.* – **Repas** carte 200 à 380.

BX 18

X **Relais Beaujolais**
3 r. Milton (9e) ✆ 48 78 77 91
bistrot – GB
*fermé août, sam. et dim.* – **Repas** 130 (déj.)et carte 170 à 330.

BY 2

X **Petit Batailley**
26 r. Bergère (9e) ✆ 47 70 85 81
AE (D) GB JCB
*fermé 23 juil. au 16 août, 1er au 8 janv., sam. midi, dim. et fériés* – **Repas** 139/225 et carte 200 à 280.

BX 9

X **La Grille**
80 r. Fg Poissonnière (10e) ✆ 47 70 89 73
bistrot – AE (D) GB JCB
*fermé 8 au 21 août, vacances de fév., vend. soir, sam., dim. et fériés* – **Repas** carte 200 à 260.

BY 5

X **Bistro de Gala**
45 Fg Montmartre (9e) ✆ 40 22 90 50
GB
*fermé août, sam. midi, dim. midi et lundi* – **Repas** 150.

BX 26

X **Chez Jean**
52 r. Lamartine (9e) ✆ 48 78 62 73, Fax 48 78 39 29
bistrot – GB
*fermé 31 juil. au 21 août, Noël au Jour de l'An, sam. midi et dim.* – **Repas** 155.

AX 3

X **Bistro des Deux Théâtres**
18 r. Blanche (9e) ✆ 45 26 41 43, Fax 48 74 08 92
GB
**Repas** 165 bc.

AY 6

X **L'Excuse**
21 r. Joubert (9e) ✆ 42 81 98 19
GB
*fermé août, 24 au 31 déc., sam. et dim.* – **Repas** 75/93 dîner à la carte 110 à 180.

# 12e 13e arrondissements

BASTILLE - NATION

GARE DE LYON - BERCY

GARE D'AUSTERLITZ

PLACE D'ITALIE

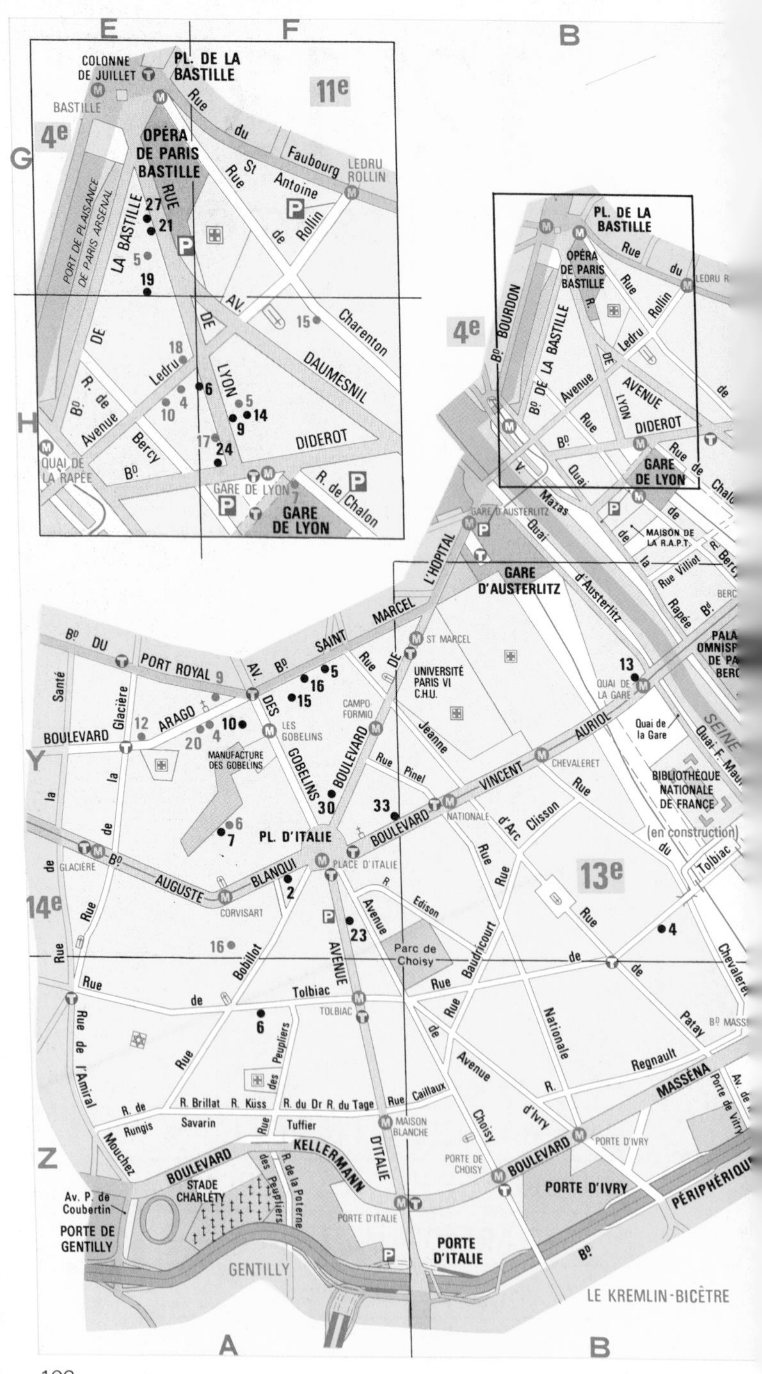

COLONNE DE JUILLET
PL. DE LA BASTILLE
BASTILLE
11e
4e
OPÉRA DE PARIS BASTILLE
Rue du Faubourg St Antoine
LEDRU ROLLIN
Rue de Rollin
RUE DE LA BASTILLE
PORT DE PLAISANCE DE PARIS ARSENAL
AV. DAUMESNIL
Charenton
AV. DE LYON
Avenue Ledru
R. de Bercy
DIDEROT
QUAI DE LA RAPÉE
GARE DE LYON
R. de Chalon
Bd. BOURDON
Bd. DE LA BASTILLE
Quai
GARE D'AUSTERLITZ
V. Mazas
MAISON DE LA R.A.P.T.
Rue Villiot
Quai d'Austerlitz
Rapée
Bd. DE L'HÔPITAL
Bd. SAINT MARCEL
ST MARCEL
UNIVERSITÉ PARIS VI C.H.U.
Bd. DU PORT ROYAL
AV. DES GOBELINS
LES GOBELINS
CAMPO FORMIO
Rue Jeanne d'Arc
Rue Pinel
BOULEVARD ARAGO
Santé
Glacière
MANUFACTURE DES GOBELINS
QUAI DE LA GARE
Quai de la Gare
SEINE
Quai F. Mauriac
BIBLIOTHÈQUE NATIONALE DE FRANCE
(en construction)
BOULEVARD VINCENT AURIOL
CHEVALERET
NATIONALE
Rue Clisson
PL. D'ITALIE
PLACE D'ITALIE
Bd. AUGUSTE BLANQUI
GLACIÈRE
CORVISART
14e
13e
R. Edison
Avenue de Choisy
Parc de Choisy
Rue Baudricourt
Rue de Tolbiac
TOLBIAC
Rue Bobillot
AVENUE D'ITALIE
Rue de Patay
Chevaleret
Rue de l'Amiral Mouchez
Rue Nationale
Avenue d'Ivry
R. Regnault
Rue des Peupliers
R. de Rungis
R. Brillat Savarin
R. Küss
R. du Dr Tuffier
R. du Tage
Rue Caillaux
MAISON BLANCHE
PORTE DE CHOISY
PORTE D'IVRY
BOULEVARD MASSÉNA
Porte de Vitry
BOULEVARD KELLERMANN
STADE CHARLÉTY
R. de la Poterne des Peupliers
Av. P. de Coubertin
PORTE DE GENTILLY
GENTILLY
PORTE D'ITALIE
PÉRIPHÉRIQUE
LE KREMLIN-BICÊTRE
E F G H Y Z A B

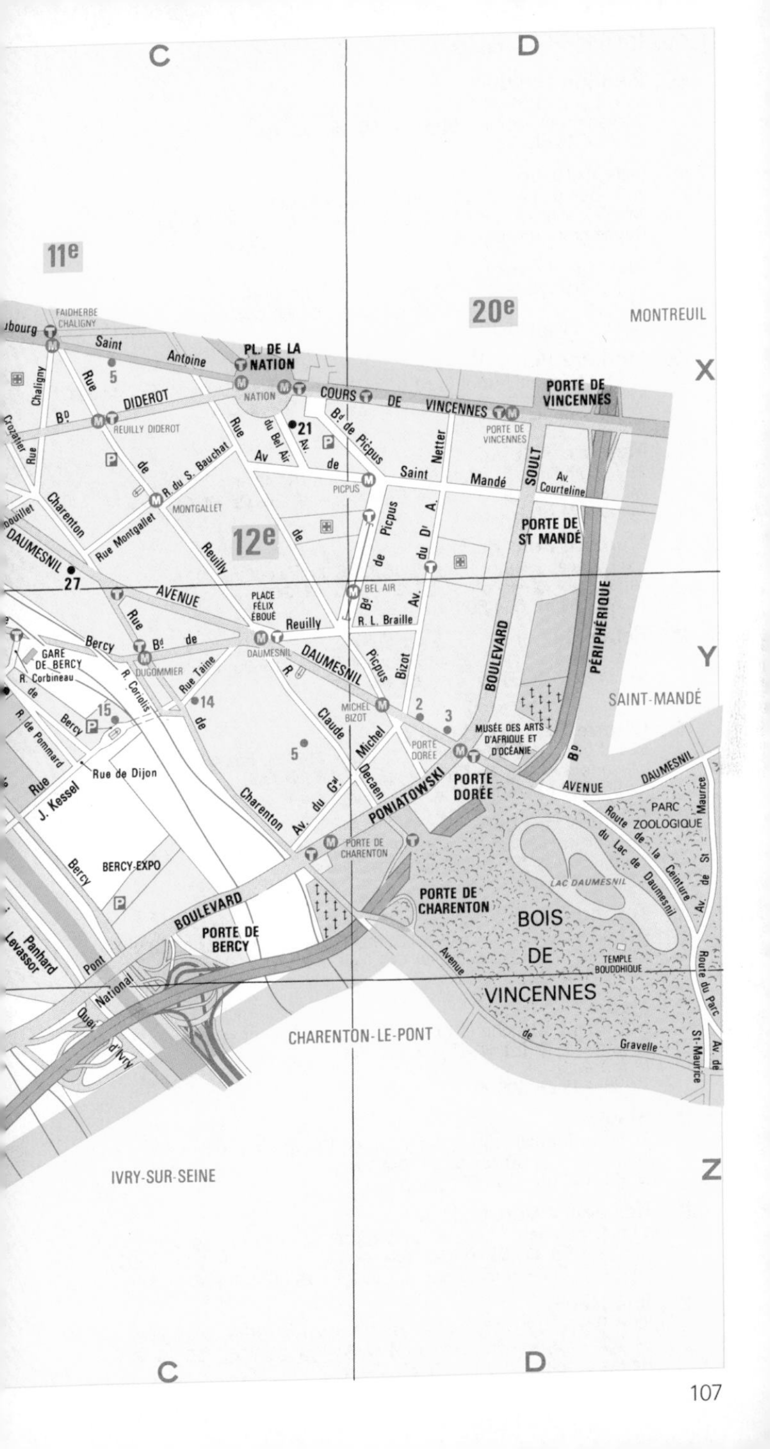
C
D
11e
20e
MONTREUIL
X
PL. DE LA NATION
NATION
COURS DE VINCENNES
PORTE DE VINCENNES
Saint Antoine
DIDEROT
REUILLY DIDEROT
Bd de Picpus
Saint Mandé
SOULT
Av. Courteline
PICPUS
MONTGALLET
Rue Montgallet
12e
PORTE DE ST MANDÉ
DAUMESNIL
AVENUE
PLACE FÉLIX ÉBOUÉ
Reuilly
BEL AIR
R. L. Braille
Y
GARE DE BERCY
R. Corbineau
DUGOMMIER
DAUMESNIL
BOULEVARD
PÉRIPHÉRIQUE
SAINT-MANDÉ
MICHEL BIZOT
MUSÉE DES ARTS D'AFRIQUE ET D'OCÉANIE
PORTE DORÉE
Rue de Dijon
J. Kessel
PONIATOWSKI
PARC ZOOLOGIQUE
Route de la Ceinture du Lac de Daumesnil
PORTE DE CHARENTON
BERCY-EXPO
LAC DAUMESNIL
BOIS DE VINCENNES
TEMPLE BOUDDHIQUE
PORTE DE BERCY
Quai d'Ivry
Panhard Levassor
Pont National
CHARENTON-LE-PONT
Route de Gravelle
IVRY-SUR-SEINE
Z

**Pavillon Bastille** — EG
65 r. Lyon (12e) ☏ 43 43 65 65, Fax 43 43 96 52
M sans rest – AE GB JCB
78 – **24 ch** 955.

**Novotel Bercy** — CY
85 r. Bercy (12e) ☏ 43 42 30 00, Télex 218332, Fax 43 45 30 60
M, – ch – 30 à 100. AE GB
**Repas** carte environ 200, enf. 50 – 60 – **129 ch** 710/760.

**Mercure Blanqui** — AY
25 bd Blanqui (13e) ☏ 45 80 82 23, Fax 45 81 45 84
M sans rest – ch AE GB JCB
60 – **50 ch** 750.

**Mercure Place d'Italie** — AY
178 bd Vincent Auriol (13e) ☏ 44 24 01 01, Télex 203424, Fax 44 24 07 07
M sans rest – – 100. AE GB
62 – **70 ch** 680/785.

**Mercure Tolbiac** — BY
21 r. Tolbiac (13e) ☏ 45 84 61 61, Fax 45 84 43 38
M sans rest – ch – 25. AE GB JCB
60 – **71 ch** 660/700.

**Mercure Pont de Bercy** — BY
6 bd Vincent Auriol (13e) ☏ 45 82 48 00, Fax 45 82 19 16
sans rest – ch AE GB
60 – **89 ch** 650/690.

**Relais de Lyon** — BX
64 r. Crozatier (12e) ☏ 43 44 22 50, Télex 216690, Fax 43 41 55 12
sans rest – AE GB
40 – **34 ch** 420/530.

**Quatre Saisons Bastille** — EG
67 r. Lyon (12e) ☏ 40 01 07 17, Télex 214223, Fax 40 01 07 27
M sans rest – – 25. AE GB
55 – **36 ch** 760/950.

**Modern H. Lyon** — FH
3 r. Parrot (12e) ☏ 43 43 41 52, Télex 220083, Fax 43 43 81 16
sans rest – AE GB JCB
37 – **48 ch** 495/640.

**Terminus-Lyon** — FH
19 bd Diderot (12e) ☏ 43 43 24 03, Télex 220117, Fax 43 44 09 00
sans rest – AE GB JCB
40 – **60 ch** 520/560.

**Média** — AY
22 r. Reine Blanche (13e) ☏ 45 35 72 72, Fax 43 31 43 31
sans rest – AE GB JCB
*fermé août*
35 – **19 ch** 395/450.

**Slavia** — AY
51 bd St-Marcel (13e) ☏ 43 37 81 25, Fax 45 87 05 03
sans rest – AE GB
30 – **37 ch** 335/390, 6 appart.

**Résidence Vert Galant** — AY
43 r. Croulebarbe (13e) ☏ 44 08 83 50, Fax 44 08 83 69
M – AE GB JCB ch
voir rest. ***Etchegorry*** ci-après – 35 – **15 ch** 400/500.

**Ibis Bercy** — CY
77 r. Bercy (12e) ☏ 43 42 91 91, Télex 216391, Fax 43 42 34 79
M, – ch, rest – 25 à 160. AE GB
**Repas** 97 bc – 39 – **368 ch** 450/455.

AY 16

**Gd H. Gobelins**
57 bd St-Marcel (13e) 43 31 79 89, Fax 45 35 43 56
sans rest – TV. AE GB
40 – **45 ch** 320/490.

EG 19

**Marceau**
13 r. J. César (12e) 43 43 11 65, Fax 43 41 67 70
sans rest – TV. GB.
*fermé 15 juil. au 15 août*
30 – **53 ch** 330/375.

AY 23

**Campanile**
15 bis av. Italie (13e) 45 84 95 95, Fax 45 70 73 06
sans rest – ch TV. AE GB
32 – **120 ch** 420.

AZ 6

**Ibis**
177 r. Tolbiac (13e) 45 80 16 60, Fax 45 80 95 80
sans rest – ch TV. AE GB
38 – **60 ch** 392/433.

FH 6

**Corail**
23 r. Lyon (12e) 43 43 23 54, Télex 212002, Fax 43 43 82 55
sans rest – TV. AE GB JCB
36 – **50 ch** 360/430.

FH 9

**Viator**
1 r. Parrot (12e) 43 43 11 00, Fax 43 43 10 89
sans rest – TV. AE GB.
35 – **45 ch** 320/370.

CX 21

**Nouvel H.**
24 av. Bel Air (12e) 43 43 01 81, Fax 43 44 64 13
sans rest – TV. AE GB
40 – **28 ch** 395/580.

CX 27

**Midi**
114 av. Daumesnil (12e) 43 07 72 03, Fax 43 43 21 75
sans rest – TV. AE GB JCB
35 – **36 ch** 326/366.

AY 30

**Arts**
8 r. Coypel (13e) 47 07 76 32, Fax 43 31 18 09
sans rest – TV. AE GB
29 – **37 ch** 275/360.

AY 10

**Résidence Les Gobelins**
9 r. Gobelins (13e) 47 07 26 90, Fax 43 31 44 05
sans rest – TV. AE GB
36 – **32 ch** 360/460.

DY 2

XXX **Au Pressoir** (Seguin)
257 av. Daumesnil (12e) 43 44 38 21, Fax 43 43 81 77
. GB
*fermé août, vacances de fév., sam. et dim.* – **Repas** 390 et carte 350 à 480
**Spéc.** Salade de pommes de terre roseval au foie gras. Assiette de fruits de mer tièdes (oct. à mai). Lièvre à la royale (en saison).

FH 7

XXX **Train Bleu**
Gare de Lyon (12e) 43 43 09 06, Fax 43 43 97 96
brasserie, « Cadre 1900 - fresques évoquant le voyage de Paris à la Méditerranée » – AE GB
*fermé août* – **Repas** (1er étage) 260 bc et carte 240 à 360.

XXX **L'Oulette**
15 pl. Lachambeaudie (12e) ✆ 40 02 02 12 — CY
– AE GB
*fermé sam. midi et dim.* – **Repas** 160/230 bc et carte 230 à 380.

XX ✿ **Au Trou Gascon**
40 r. Taine (12e) ✆ 43 44 34 26, Fax 43 07 80 55 — CY
. AE ◑ GB JCB
*fermé août, Noël au Jour de l'An, sam. et dim.* – **Repas** (nombre de couvert limité, prévenir) 180 et carte 290 à 390
**Spéc.** Petits chipirons en piperade froide (juin à oct.). Petit pâté chaud de cèpes. Volaille c Chalosse truffée.

XX **La Gourmandise**
271 av. Daumesnil (12e) ✆ 43 43 94 41 — DY
AE GB
*fermé 7 au 28 août, lundi soir et dim.* – **Repas** 140/170 et carte 260 à 350, en 92.

XX **Au Petit Marguery**
9 bd. Port-Royal (13e) ✆ 43 31 58 59 — AY
bistrot – AE ◑ GB JCB
*fermé 1er août au 3 sept., 24 déc. au 5 janv., dim. et lundi* – **Repas** 160 (déj. 200/320.

XX **La Frégate**
30 av. Ledru-Rollin (12e) ✆ 43 43 90 32 — EH
. AE GB
*fermé août, sam. et dim.* – **Repas** - produits de la mer - 150/3C et carte 275 à 405.

XX **Le Luneau**
5 r. Lyon (12e) ✆ 43 43 90 85 — FH
brasserie – AE ◑ GB
**Repas** 114/147 et carte 200 à 310 ꝭ.

XX **La Flambée**
4 r. Taine (12e) ✆ 43 43 21 80 — CY
. AE GB JCB
*fermé 31 juil. au 21 août et dim.* – **Repas** 125/185 bc et carte 180 à 310.

XX **Le Traversière**
40 r. Traversière (12e) ✆ 43 44 02 10 — FH
AE ◑ GB
*fermé août et dim. soir* – **Repas** 120 (déj.)/150 et carte 200 à 370, enf. 70.

X **L'Escapade en Touraine**
24 r. Traversière (12e) ✆ 43 43 14 96 — FH
GB
*fermé 29 juil. au 27 août, sam., dim. et fériés* – **Repas** 110/14 et carte 190 à 280.

X **Le Quincy**
28 av. Ledru-Rollin (12e) ✆ 46 28 46 76 — EH 1
bistrot –
*fermé 10 août au 10 sept., sam., dim. et lundi* – **Repas** carte 210 à 320.

X **Etchegorry**
41 r. Croulebarbe (13e) ✆ 44 08 83 51, Fax 44 08 83 69 — AY
. AE ◑ GB JCB
*fermé dim.* – **Repas** 155 bc/200 bc et carte 200 à 300.

X **Le Temps des Cerises**
216 r. Fg St-Antoine (12e) ✆ 43 67 52 08, Fax 43 67 60 91 — CX
. AE GB
*fermé lundi* – **Repas** 95/220 et carte 230 à 320 ꝭ.

X **St-Amarante**
4 r. Biscornet (12e) ✆ 43 43 00 08 — EG
bistrot – GB
*fermé 14 juil. au 15 août, sam. et dim.* – **Repas** (nombre de couverts limité prévenir) carte environ 160.

AY 16

X **Chez Françoise**
12 r. Butte aux Cailles (13e) ✆ 45 80 12 02, Fax 45 65 13 67
bistrot – AE ① GB. ✈
*fermé 2 au 29 août, sam. midi et dim.* – **Repas** 69 bc (déj.), 96/139 et carte 160 à 240 ♁.

EH 18

X **A la Biche au Bois**
45 av. Ledru-Rollin (12e) ✆ 43 43 34 38
AE ① GB
*fermé 14 juil. au 13 août, 23 déc. au 1er janv., sam. et dim.* – **Repas** 96/115 et carte 120 à 210 ♁.

AY 12

X **Le Rhône**
40 bd Arago (13e) ✆ 47 07 33 57
☂ – GB
*fermé août, sam., dim. et fêtes* – **Repas** 75 (déj.)/160 et carte 130 à 220 ♁.

AY 4

X **Le Terroir**
11 bd Arago (13e) ✆ 47 07 36 99
bistrot – GB
*fermé vacances de Pâques, 30 juil. au 21 août, 24 déc. au 1er janv., sam. midi et dim.* – **Repas** 94 (déj.)et carte 150 à 300.

AY 20

X **Table d'Honfleur**
21 bd Arago (13e) ✆ 47 07 01 15
GB
*fermé 11 au 31 juil., 12 au 21 août, 23 au 31 déc. et lundi* – **Repas** 75 bc (déj.), 95 bc/145 bc.

CY 5

X **Les Zygomates**
7 r. Capri (12e) ✆ 40 19 93 04, Fax 40 19 93 04
bistrot – GB. ✈
*fermé août, 24 déc. au 1er janv., sam. midi et dim.* – **Repas** 70 (déj.)/125 et carte 160 à 210.

# 14$^e$ 15$^e$ arrondissements

MONTPARNASSE

DENFERT-ROCHEREAU – ALÉSIA

PORTE DE VERSAILLES

VAUGIRARD – BEAUGRENELLE

A
B
V
X
Y
Z
16e
15e
CHAMP DE MARS TOUR EIFFEL
AVENUE
DE
Pont de Bir-Hakeim
BIR-HAKEIM
R. de St. Saëns
Bd DE GRENELLE
la Fédération
R. du Dr. Finlay
Dupleix
DUPLEIX
VILLAGE SUISSE
LA MOTTE PICQUET GRENELLE
Q. de Grenelle
Pont de Grenelle
Rue Linois
Rue Émeriau
Rue Charles
Lourmel
Violet
Commerce
R. Frémicourt
CENTRE BEAUGRENELLE
Av. Citroën
Pont Mirabeau
Av. Émile Zola
AV. E. ZOLA
du Théâtre
JAVEL
CHARLES MICHELS
R. des Entrepreneurs
COMMERCE
Rue du Commerce
Nivert
Quai André
Rue Saint
de
Javel
FELIX FAURE
Croix
Mademoiselle
SEINE
Rue des Cévennes
Rue Balard
Parc A. Citroën
R. Leblanc
Av. Félix Faure
BOUCICAUT
R. des F. Morane
R. Lecourbe
R. de la
VAUGIRARD
de l'Abbé
R. Duranton
LOURMEL
Pont du Garigliano
Bd VICTOR
Bd DU Gal M. VALIN
Q. d'Issy les Moulineaux
R. St. Lambert
CONVENTION
Convention
Groult
R. de la Croix Nivert
R. Leblanc
BALARD
Desnouettes
RUE
Leriche
R. de Serres
Rue Dantzig
Bd VICTOR
HÉLIPORT DE PARIS
PORTE DE SÈVRES
PARC DES SPORTS
AQUABOULEVARD
Boulevard Galliéni
Bd des Fres Voisin
PÉRIPHÉRIQUE
R. de la Porte d'Issy
PALAIS DES SPORTS
PORTE DE VERSAILLES
R. Olivier de Serres
OBJETS TROUVÉS
Parc G. Brassens
THÉÂTRE SYLVIA MONFORT
PARC DES EXPOSITIONS DE PARIS
BOULEVARD LEFEBVRE
TH. PARIS-PLAINE
PORTE DE LA PLAINE
PORTE BRANCION
ISSY LES-MOULINEAUX
VANVES

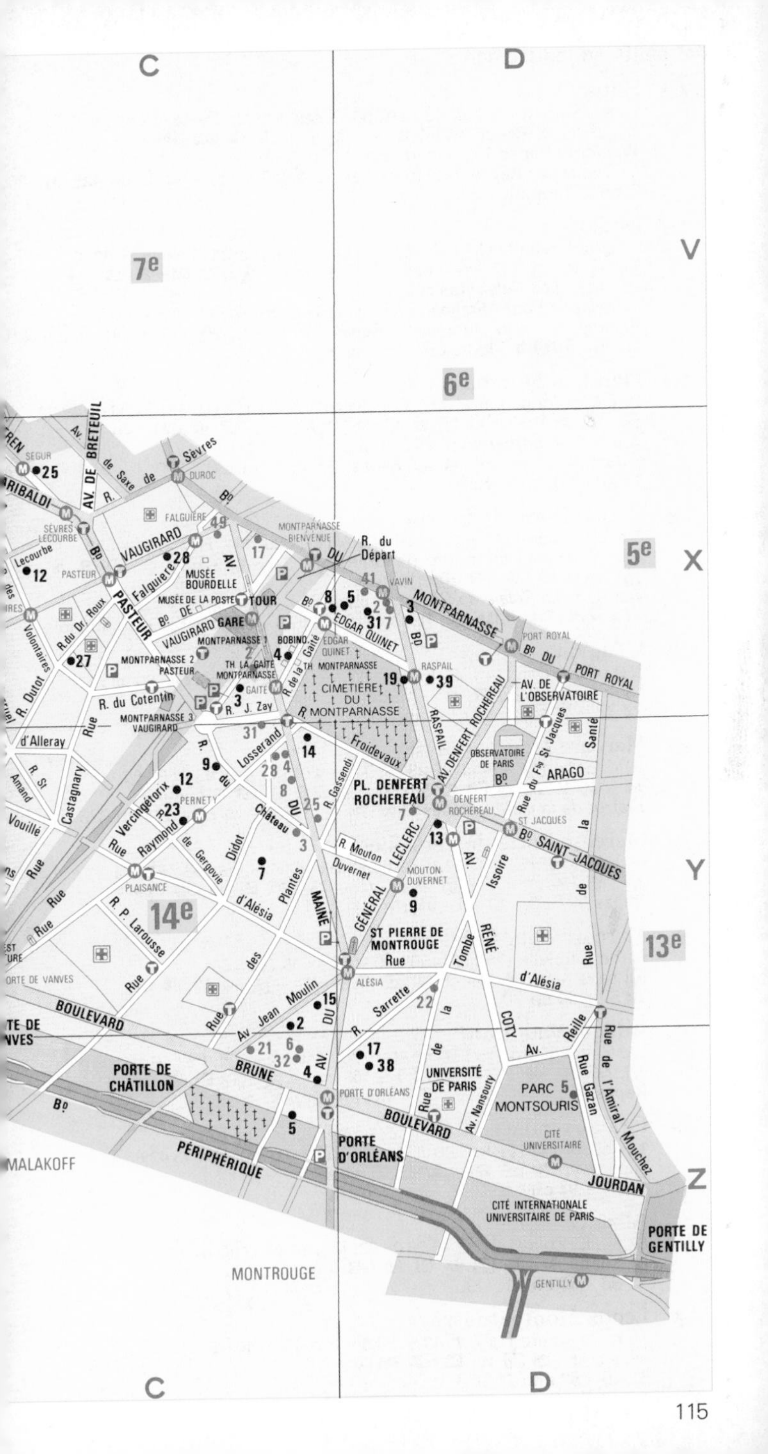
C
D
V
X
Y
Z
7e
6e
5e
13e
14e
AV. DE BRETEUIL
SEGUR
DUROC
Sèvres
FALGUIÈRE
SÈVRES LECOURBE
VAUGIRARD
MUSÉE BOURDELLE
MUSÉE DE LA POSTE
TOUR
PASTEUR
GARE
MONTPARNASSE 1
MONTPARNASSE 2 PASTEUR
MONTPARNASSE 3 VAUGIRARD
MONTPARNASSE BIENVENUE
R. du Départ
VAVIN
MONTPARNASSE
EDGAR QUINET
BOBINO
TH. LA GAITE MONTPARNASSE
TH MONTPARNASSE
GAITE
RASPAIL
PORT ROYAL
Bd DU PORT ROYAL
AV. DE L'OBSERVATOIRE
CIMETIÈRE DU MONTPARNASSE
R. du Cotentin
R. J. Zay
d'Alleray
Losserand
Froidevaux
AV. DENFERT ROCHEREAU
OBSERVATOIRE DE PARIS
ARAGO
Santé
PL. DENFERT ROCHEREAU
DENFERT ROCHEREAU
ST JACQUES
Bd SAINT JACQUES
PERNETY
Vercingétorix
Raymond
Castagnary
Vouillé
Gergovie
Didot
Château
R. Mouton Duvernet
MOUTON DUVERNET
LECLERC
GÉNÉRAL
MAINE
Issoire
PLAISANCE
d'Alésia
Plantes
R. P. Larousse
ST PIERRE DE MONTROUGE
ALÉSIA
Tombe
RÉNÉ
COTY
Av. Jean Moulin
Sarrette
Reille
Rue de l'Amiral Mouchez
BOULEVARD
BRUNE
PORTE DE CHÂTILLON
PORTE D'ORLÉANS
UNIVERSITÉ DE PARIS
Av. Nansouty
PARC MONTSOURIS
Rue Gazan
CITÉ UNIVERSITAIRE
JOURDAN
PÉRIPHÉRIQUE
MALAKOFF
MONTROUGE
CITÉ INTERNATIONALE UNIVERSITAIRE DE PARIS
PORTE DE GENTILLY
GENTILLY
PORTE DE VANVES

**Hilton** BV
18 av. Suffren (15e) ✆ 42 73 92 00, Télex 200955, Fax 47 83 62 66
M, – ⎈ ch ▤ TV ☎ ♿ – 🔔 400. AE ⓓ GB JCB
*Western :* **Repas** 150 et carte 230 à 350, enf. 75
*La Terrasse :* **Repas** 140/160 bc et carte 230 à 320 – ☕ 120 – **429 ch** 186[0]/2065, 27 appart.

**Nikko** BV
61 quai Grenelle (15e) ✆ 40 58 20 00, Télex 205811, Fax 45 75 42 35
M, ≤, Ⓛ, ▭ – ⎈ ch ▤ TV ☎ ♿ 🚗 – 🔔 600. AE ⓓ GB JCB
voir rest. *Les Célébrités* ci-après
- *Brasserie Pont Mirabeau :* **Repas** 148 et carte 200 à 310, enf.83
*Benkay* - cuisine japonaise - **Repas** 110 (déj.), 390/690 et carte 320 à 450
☕ 85 – **761 ch** 1480/2180, 7 appart.

**Méridien Montparnasse** CX
19 r. Cdt Mouchotte (14e) ✆ 44 36 44 36, Télex 200135, Fax 44 36 49 00
M, ≤ – ⎈ ch ▤ TV ☎ ♿ 🚗 – 🔔 1 400. AE ⓓ GB JCB. ✂ rest
voir rest. *Montparnasse 25* ci-après
- *Justine* ✆ 44 36 44 00 **Repas** 195 et carte 180 à 290 – ☕ 95 – **914 c[h]** 1700/1900, 38 appart.

**Sofitel Porte de Sèvres** AY
8 r. L.-Armand (15e) ✆ 40 60 30 30, Télex 200484, Fax 45 57 04 22
M, ≤, piscine intérieure panoramique, Ⓛ – ⎈ ch ▤ TV ☎ ♿ 🚗
🔔 1 200. AE ⓓ GB JCB. ✂ rest
voir rest. *Le Relais de Sèvres* ci-après
- *La Tonnelle* (brasserie) **Repas** 120 – ☕ 90 – **523 ch** 1280, 15 appart.

**L'Aiglon** DX
232 bd Raspail (14e) ✆ 43 20 82 42, Télex 206038, Fax 43 20 98 72
sans rest – ⎈ TV ☎ 🚗. AE ⓓ GB JCB
☕ 35 – **38 ch** 480/710, 9 appart.

**Mercure Montparnasse** CX
20 r. Gaîté (14e) ✆ 43 35 28 28, Télex 201532, Fax 43 27 98 64
M – ⎈ ch ▤ TV ☎ ♿ 🚗 – 🔔 100. AE ⓓ GB JCB
*Bistrot de la Gaîté :* **Repas** 125/175, enf. 50 – ☕ 68 – **178 ch** 820, 7 appar[t].

**Mercure Porte de Versailles** BY
69 bd Victor (15e) ✆ 44 19 03 03, Télex 205628, Fax 48 28 22 11
M – ⎈ ch ▤ ch TV ☎ ♿ 🚗 – 🔔 120. AE ⓓ GB JCB
**Repas** 99/150 – ☕ 70 – **91 ch** 884/1064.

**Mercure Tour Eiffel** BV
64 bd Grenelle (15e) ✆ 45 78 90 90, Fax 45 78 95 55
M sans rest – ⎈ ch ▤ TV ☎ ♿ 🚗 – 🔔 40. AE ⓓ GB
☕ 65 – **64 ch** 900.

**Adagio Vaugirard** BX
257 r. Vaugirard (15e) ✆ 40 45 10 00, Télex 250709, Fax 40 45 10 10
M, Ⓛ – ⎈ ch, ▤ rest TV ☎ ♿ 🚗 – 🔔 200. AE ⓓ GB
**Repas** 150, enf. 60 – ☕ 70 – **184 ch** 795/860, 3 appart.

**Orléans Palace H.** CZ
185 bd Brune (14e) ✆ 45 39 68 50, Télex 205490, Fax 45 43 65 64
sans rest – ⎈ TV ☎ – 🔔 35. AE ⓓ GB
☕ 50 – **92 ch** 510/570.

**Alizé Grenelle** BX
87 av. É. Zola (15e) ✆ 45 78 08 22, Fax 40 59 03 06
M sans rest – ⎈ TV ☎. AE ⓓ GB JCB
☕ 36 – **50 ch** 410/490.

**Lenox Montparnasse** DX
15 r. Delambre (14e) ✆ 43 35 34 50, Fax 43 20 46 64
sans rest – ⎈ TV ☎. AE ⓓ GB JCB
☕ 45 – **52 ch** 520/960.

**Beaugrenelle St-Charles** BX 34
82 r. St-Charles (15e) ✆ 45 78 61 63, Fax 45 79 04 38
M sans rest – ♦ TV ☎. AE ⓓ GB JCB
☕ 36 – **51 ch** 380/480.

**Raspail Montparnasse** DX 3
203 bd Raspail (14e) ✆ 43 20 62 86, Fax 43 20 50 79
sans rest – ♦ ▤ TV ☎. AE ⓓ GB JCB. ✽
☕ 50 – **38 ch** 550/850.

**Versailles** BY 33
213 r. Croix-Nivert (15e) ✆ 48 28 48 66, Télex 200473, Fax 45 30 16 22
sans rest – ♦ TV ☎. AE ⓓ GB
☕ 42 – **41 ch** 485/565.

**Bailli de Suffren** CX 25
149 av. Suffren (15e) ✆ 47 34 58 61, Fax 45 67 75 82
sans rest – ♦ TV ☎. AE ⓓ GB
☕ 40 – **22 ch** 596/695, 3 appart.

**Mercure Paris XV** BX 21
6 r. St-Lambert (15e) ✆ 45 58 61 00, Télex 206936, Fax 45 54 10 43
M sans rest – ♦ ⇔ ch TV ☎ ♿ ⇔. AE ⓓ GB
☕ 50 – **56 ch** 690.

**Abaca Messidor** BY 9
330 r. Vaugirard (15e) ✆ 48 28 03 74, Fax 48 28 75 17
sans rest, ⛱ – ♦ TV ☎. AE ⓓ GB JCB
☕ 53 – **72 ch** 465/900.

**Terminus Vaugirard** BY 3
403 r. Vaugirard (15e) ✆ 48 28 18 72, Fax 48 28 56 34
sans rest – ♦ ⇔ ch TV ☎. GB. ✽
*fermé 16 au 24 déc.*
☕ 45 – **89 ch** 456/562.

**L'Alligator** CX 8
39 r. Delambre (14e) ✆ 43 35 18 40, Fax 43 35 30 71
sans rest – ♦ TV ☎. AE ⓓ GB JCB
☕ 45 – **35 ch** 430/650.

**Alésia Montparnasse** CY 23
84 r. R. Losserand (14e) ✆ 45 42 16 03, Fax 45 42 11 60
sans rest – ♦ ⇔ ch TV ☎. AE ⓓ GB JCB
☕ 42 – **45 ch** 490/550.

**L'Orchidée** CY 9
65 r. de l'Ouest (14e) ✆ 43 22 70 50, Télex 203026, Fax 42 79 97 46
sans rest – ♦ TV ☎ ♿. AE ⓓ GB. ✽
☕ 35 – **40 ch** 400/490.

**Sophie Germain** DY 9
12 r. Sophie Germain (14e) ✆ 43 21 43 75, Télex 206720, Fax 43 20 82 89
sans rest – ♦ TV ☎. AE ⓓ GB. ✽
☕ 35 – **33 ch** 490/560.

**France Eiffel** BV 22
8 r. St-Charles (15e) ✆ 45 79 33 35, Télex 204057, Fax 45 79 40 84
sans rest – ♦ TV ☎. AE ⓓ GB JCB
☕ 45 – **37 ch** 490/632.

**Tourisme** BV 24
66 av. La Motte-Picquet (15e) ✆ 47 34 28 01, Fax 47 83 66 54
sans rest – ♦ TV ☎. GB. ✽
☕ 25 – **60 ch** 280/410.

**Acropole** CZ 4
199 bd Brune (14e) ✆ 45 39 64 17, Fax 45 42 18 21
sans rest – ♦ TV ☎. AE ⓓ GB. ✽
☕ 30 – **41 ch** 350/390.

**Wallace** — BX 2
89 r. Fondary (15e) ☎ 45 78 83 30, Télex 283155, Fax 40 58 19 43
sans rest – |‡| TV ☎. AE ⓓ GB JCB
☕ 40 – **35 ch** 550/650.

**Châtillon H.** — CY
11 square Châtillon (14e) ☎ 45 42 31 17, Fax 45 42 72 09
sans rest – |‡| TV ☎. GB. ✗
☕ 32 – **31 ch** 320/350.

**Ariane Montparnasse** — CY
35 r. Sablière (14e) ☎ 45 45 67 13, Fax 45 45 39 49
M sans rest – |‡| TV ☎. AE ⓓ GB
☕ 38 – **30 ch** 380/425.

**Apollon Montparnasse** — CY 1
91 r. Ouest (14e) ☎ 43 95 62 00, Fax 43 95 62 10
M sans rest – |‡| TV ☎. AE ⓓ GB. ✗
☕ 35 – **32 ch** 390/460.

**Sèvres-Montparnasse** — CX 2
153 r. Vaugirard (15e) ☎ 47 34 56 75, Fax 40 65 01 86
sans rest – |‡| TV ☎. AE ⓓ GB. ✗
☕ 35 – **35 ch** 420/520.

**Lilas Blanc** — BX
5 r. Avre (15e) ☎ 45 75 30 07, Fax 45 78 66 65
M sans rest – |‡| TV ☎. AE ⓓ GB JCB
☕ 32 – **32 ch** 380/455.

**Modern H. Val Girard** — BX 4
14 r. Pétel (15e) ☎ 48 28 53 96, Fax 48 28 69 94
sans rest – |‡| TV ☎. AE ⓓ GB JCB
☕ 35 – **39 ch** 375/450.

**Carladez Cambronne** — BX
3 pl. Gén. Beuret (15e) ☎ 47 34 07 12, Télex 206823, Fax 40 65 95 68
sans rest – |‡| TV ☎. AE GB
☕ 31 – **27 ch** 380/425.

**Idéal** — BX
96 av. É. Zola (15e) ☎ 45 79 09 79, Fax 45 79 73 59
M sans rest – |‡| TV ☎. AE ⓓ GB JCB
☕ 40 – **35 ch** 390/430.

**Aberotel** — CX 1
24 r. Blomet (15e) ☎ 40 61 70 50, Fax 40 61 08 31
M sans rest – |‡| TV ☎ ♿. AE ⓓ GB
☕ 40 – **28 ch** 415/520.

**Résidence St-Lambert** — BY 1
5 r. E. Gibez (15e) ☎ 48 28 63 14, Fax 45 33 45 50
sans rest – |‡| TV ☎. AE ⓓ GB JCB
☕ 40 – **48 ch** 490/550.

**des Bains** — DX
33 r. Delambre (14e) ☎ 43 20 85 27, Fax 42 79 82 78
sans rest – |‡| TV ☎
☕ 43 – **41 ch** 367.

**du Lion** — DY 1
1 av. Gén. Leclerc (14e) ☎ 40 47 04 00, Fax 43 20 38 18
sans rest – |‡| ⇔ ch TV ☎. AE GB
☕ 40 – **33 ch** 370/570.

**Parc** — DZ 1
60 r. Beaunier (14e) ☎ 45 40 77 02, Fax 45 40 81 99
sans rest – |‡| TV ☎. AE GB
☕ 30 – **24 ch** 350/390.

**Cécil'H.** — DZ 3
47 r. Beaunier (14e) ☎ 45 40 93 53, Fax 45 40 43 26
sans rest – |‡| TV ☎. AE GB
☕ 32 – **25 ch** 360/400.

**Fondary** BX 2
30 r. Fondary (15e) ✆ 45 75 14 75, Fax 45 75 84 42
sans rest – |♦| TV ☎. AE GB
38 – **20 ch** 375/395.

**Istria** DX 39
29 r. Campagne Première (14e) ✆ 43 20 91 82, Télex 203618, Fax 43 22 48 45
sans rest – |♦| TV ☎. AE ① GB JCB
40 – **26 ch** 465/580.

**Pasteur** CX 27
33 r. Dr.-Roux (15e) ✆ 47 83 53 17, Fax 45 66 62 39
sans rest – |♦| TV ☎. GB
*fermé fin juil. à fin août*
38 – **19 ch** 315/450.

**Friant** CY 15
8 r. Friant (14e) ✆ 45 42 71 91, Fax 45 42 04 67
sans rest – |♦| TV ☎. GB.
45 – **27 ch** 350/370.

**Agenor** CY 14
22 r. Cels (14e) ✆ 43 22 47 25, Fax 42 79 94 01
sans rest – |♦| TV ☎. AE GB JCB.
32 – **19 ch** 350/440.

XXXX **Les Célébrités** - Hôtel Nikko BV 16
✿ 61 quai Grenelle (15e) ✆ 40 58 20 00, Télex 205811, Fax 45 75 42 35
< – ▤. AE ① GB JCB
*fermé août* – **Repas** 280/370 et carte 380 à 500
**Spéc.** Terrine de lièvre, condiments de cumberland (oct. à déc.). Saint-Jacques au jus de coques, pommes de terre au caviar (oct. à avril). Volaille de Bresse en soupière, légumes d'automne.

XXXX **Montparnasse 25** - Hôtel Méridien Montparnasse CX 3
✿ 19 r. Cdt Mouchotte (14e) ✆ 44 36 44 25, Télex 200135, Fax 44 36 49 03
▤ P. AE ① GB JCB.
*fermé août, 24 au 31 déc., sam. et dim.* – **Repas** 230 (déj.), 290/380 et carte 310 à 410.
**Spéc.** Galette de riz au rizotto de coquillages et girolles. Fricassée de langouste aux morilles et vin d'Arbois (avril à juin). Noisettes d'agneau de Pauillac, fondue de légumes et truffes (janv. à mars).

XXXX **Relais de Sèvres** - Hôtel Sofitel Porte de Sèvres AY 29
✿ 8 r. L.-Armand (15e) ✆ 40 60 33 66, Télex 200484, Fax 45 57 04 22
▤. AE ① GB JCB.
*fermé août, 24 au 31 déc., sam. dim. et fériés* – **Repas** 320 bc (déj.)/430 et carte 270 à 380
**Spéc.** Civet de petis gris aux gésiers confits. Morue demi-sel aux légumes acidulés. Filet d'agneau aux tomates confites.

XXX **Morot Gaudry** BV 20
✿ 6 r. Cavalerie (15e) (8e étage) ✆ 45 67 06 85, Fax 45 67 55 72
– |♦| ▤. AE GB JCB
*fermé sam. et dim.* – **Repas** 220 bc (déj.), 390/550 bc et carte 300 à 450
**Spéc.** Foie gras de canard poêlé, pétales de pommes séchées. Coussin de sole aux oeufs d'ablette et au chablis. Lièvre à la royale (1er oct.-31 déc.).

XXX **Armes de Bretagne** CY 4
108 av. Maine (14e) ✆ 43 20 29 50, Fax 43 27 84 11
▤. AE ① GB
*fermé août, sam. midi et dim.* – **Repas** - produits de la mer - 200 et carte 240 à 410.

XXX **Moniage Guillaume**
88 r. Tombe-Issoire (14e) ☏ 43 22 96 15, Fax 43 27 11 79 — DY 2
AE ⓓ GB JCB
*fermé dim.* – **Repas** 195 bc (déj.), 24095 bc/240 et carte 310 à 420.

XXX **Pavillon Montsouris**
20 r. Gazan (14e) ☏ 45 88 38 52, Fax 45 88 63 40 — DZ
←, 🏠, « Pavillon 1900 en bordure du parc » – P. AE ⓓ GB.
**Repas** 189/255, enf. 120.

XXX **Lous Landès**
157 av. Maine (14e) ☏ 45 43 08 04, Fax 45 45 91 35 — CY 2
▤. AE ⓓ GB
*fermé sam. midi et dim.* – **Repas** 190/300 et carte 270 à 380.

XX **Lal Qila**
88 av. É. Zola (15e) ☏ 45 75 68 40, Fax 45 79 68 61 — BX 3
« Décor original » – ▤. AE ⓓ GB
**Repas** - cuisine indienne - 68 (déj.), 119/169 et carte 170 à 250.

XX **Yves Quintard**
99 r. Blomet (15e) ☏ 42 50 22 27 — BX 4
GB
*fermé 10 au 30 août, sam. midi et dim.* – **Repas** 160 bc/260 bc.

XX **La Dînée**
85 r. Leblanc (15e) ☏ 45 54 20 49, Fax 40 60 74 88 — AY
AE GB JCB
*fermé 27 juil. au 21 août, dim. midi et sam.* – **Repas** 160 (déj.)/26
et carte 210 à 310.

XX **La Chaumière des Gourmets**
22 pl. Denfert-Rochereau (14e) ☏ 43 21 22 59 — DY
AE GB
*fermé août, sam. midi et dim.* – **Repas** 165/240 et carte 270 à 370.

XX **Le Dôme**
108 bd Montparnasse (14e) ☏ 43 35 25 81, Fax 42 79 01 19 — DX
brasserie – ▤. AE ⓓ GB
*fermé lundi* – **Repas** - produits de la mer - carte 300 à 460.

XX **Vishnou**
13 r. Cdt Mouchotte (14e) ☏ 45 38 92 93, Fax 44 07 29 90 — CX
🏠 – AE ⓓ GB
*fermé dim.* – **Repas** - cuisine indienne - 150 bc (déj.)/230 bc et cart
190 à 310.

XX **Bistro 121**
121 r. Convention (15e) ☏ 45 57 52 90, Fax 45 57 14 69 — BX 2
▤. AE ⓓ GB JCB
**Repas** 200 bc/450 bc et carte 200 à 340.

XX **La Coupole**
102 bd Montparnasse (14e) ☏ 43 20 14 20, Fax 43 35 46 14 — DX 4
« Brasserie parisienne des années 20 » – AE ⓓ GB
**Repas** carte 150 à 270 🍷.

XX **Aux Senteurs de Provence**
295 r. Lecourbe (15e) ☏ 45 57 11 98, Fax 45 58 66 84 — BX 2
AE ⓓ GB JCB
*fermé 6 au 20 août, sam. midi et dim.* – **Repas** - produits de la mer - 20
et carte 190 à 300.

XX **Petite Bretonnière**
2 r. Cadix (15e) ☏ 48 28 34 39, Fax 48 28 20 90 — BY
AE GB JCB
*fermé août, sam. midi et dim.* – **Repas** 185/350 et carte 290 à 410.

XX **Napoléon et Chaix** AX 43
46 r. Balard (15e) ✆ 45 54 09 00
▤. AE GB
*fermé août, 1er au 7 janv., sam. midi et dim.* – **Repas** 148 et carte 180 à 270 ♁.

XX **Monsieur Lapin** CY 28
11 r. R. Losserand (14e) ✆ 43 20 21 39, Fax 43 21 84 86
AE GB
*fermé août et lundi* – **Repas** 150/300 et carte 250 à 360.

XX **Le Caroubier** CY 8
122 av. Maine (14e) ✆ 43 20 41 49
▤. GB
*fermé août, dim. soir et lundi midi* – **Repas** - cuisine nord-africaine - 130/200 bc et carte 140 à 160.

XX **L'Etape** BX 46
89 r. Convention (15e) ✆ 45 54 73 49
▤. GB
*fermé Noël au Jour de l'An, sam. soir du 1er juil. au 15 sept., sam. midi et dim.* – **Repas** 160/190 bc et carte 170 à 270.

XX **Le Copreaux** CX 11
15 r. Copreaux (15e) ✆ 43 06 83 35
GB
*fermé 7 au 28 août, sam. midi et dim.* – **Repas** 120/190 et carte 200 à 280.

XX **Le Clos Morillons** BY 13
50 r. Morillons (15e) ✆ 48 28 04 37, Fax 48 28 70 77
AE GB
*fermé 6 au 21 août, sam. midi et dim.* – **Repas** 165/285 et carte 240 à 290.

XX **Les Vendanges** CZ 6
40 r. Friant (14e) ✆ 45 39 59 98
AE GB
*fermé août, sam. midi et dim.* – **Repas** 180.

XX **Filoche** BX 14
34 r. Laos (15e) ✆ 45 66 44 60
GB. ⚘
*fermé 13 juil. au 20 août, 22 déc. au 5 janv., sam. et dim.* – **Repas** carte 180 à 270.

XX **La Giberne** BV 4
42 bis av. de Suffren (15e) ✆ 47 34 82 18
AE ⓓ GB JCB
*fermé 1er au 27 août, sam. midi et dim.* – **Repas** 118 (déj.), 165/180 et carte 180 à 320 ♁.

XX **Pierre Vedel** BX 10
19 r. Duranton (15e) ✆ 45 58 43 17, Fax 45 58 42 65
bistrot – GB
*fermé Noël au Jour de l'An, sam. (sauf le soir d'oct. à avril) et dim.* – **Repas** carte 210 à 300.

XX **La Chaumière** BX 47
54 av. F.-Faure (15e) ✆ 45 54 13 91
AE ⓓ GB
*fermé 24 juil. au 21 août, lundi soir et mardi* – **Repas** 175 bc et carte 190 à 270.

XX **Mina Mahal** BX 30
25 r. Cambronne (15e) ✆ 47 34 19 88, Fax 45 79 68 61
▤. AE ⓓ GB
*fermé dim.* – **Repas** - cuisine indienne - 68/138 et carte 110 à 200.

X **de la Tour** BV
6 r. Desaix (15e) ✆ 43 06 04 24
GB
*fermé août, sam. midi et dim.* – **Repas** 108 (déj.)/165.

X **L'Épopée** BX 2
89 av. E. Zola (15e) ✆ 45 77 71 37
AE GB
*fermé sam. midi et dim.* – **Repas** 168 et carte 180 à 290.

X **La Bonne Table** CZ 3
42 r. Friant (14e) ✆ 45 39 74 91
GB
*fermé sam. et dim.* – **Repas** (dîner seul.) 150 et carte 190 à 330.

X **Chez Yvette** CX 1
46 bis bd Montparnasse (15e) ✆ 42 22 45 54
bistrot – GB
*fermé août, sam. et dim.* – **Repas** carte 130 à 310.

X **Bistrot du Dôme** DX
1 r. Delambre (14e) ✆ 43 35 32 00
▤. AE GB
**Repas** - produits de la mer - carte 180 à 260.

X **La Cagouille** CY 3
10 pl. Constantin Brancusi (14e) ✆ 43 22 09 01, Fax 45 38 57 29
– AE GB JCB
*fermé du 24 déc. au 3 janv.* – **Repas** - produits de la mer - 250 bc e carte 210 à 355.

X **Le Gastroquet** BY 5
10 r. Desnouettes (15e) ✆ 48 28 60 91
AE GB
*fermé août, sam. et dim.* – **Repas** 99 (déj.)/149 et carte 170 à 270.

X **Les Cévennes** AX 5
55 r. Cévennes (15e) ✆ 45 54 33 76, Fax 44 26 46 95
GB
*fermé 1er au 15 août, sam. midi et dim.* – **Repas** 155/250, enf. 80.

X **La Datcha Lydie** BV 1
7 r. Dupleix (15e) ✆ 45 66 67 77
AE GB
*fermé 12 juil. au 31 août et merc.* – **Repas** - cuisine russe - 125 bc e carte 130 à 210.

X **Chez Pierre** CX 4
117 r. Vaugirard (15e) ✆ 47 34 96 12
bistrot – ▤. AE GB
*fermé 1er au 22 août, sam. midi et dim. sauf fériés* – **Repas** 120 (déj.)/14 et carte 200 à 330.

X **L'Armoise** BX 1
67 r. Entrepreneurs (15e) ✆ 45 79 03 31
GB
*fermé 1er au 20 août, vacances de fév., sam. midi et dim.* – **Repas** 125 ♨.

X **Le Père Claude** BV
51 av. La Motte-Picquet (15e) ✆ 47 34 03 05, Fax 40 56 97 84
AE GB
**Repas** 92/140 et carte 190 à 300.

X **L'Amuse Bouche** CY
186 r. Château (14e) ✆ 43 35 31 61
AE GB
*fermé 7 au 20 août, sam. midi et dim.* – **Repas** (nombre de couverts limité prévenir) 160 et carte 230 à 310.

CZ 21

### La Régalade
49 av. J. Moulin (14e) ✆ 45 45 68 58, Fax 45 40 96 74
bistrot – ▤. AE GB. ✈
*fermé août, sam. midi, dim. et lundi* – **Repas** (prévenir) 160.

AX 2

### L'Os à Moelle
3 r. Vasco de Gama (15e) ✆ 45 57 27 27
GB
*fermé 7 au 21 août, dim. et lundi* – **Repas** 140 (déj.)/180.

BX 8

### L'Agape
281 r. Lecourbe (15e) ✆ 45 58 19 29
GB
*fermé 8 au 29 août, sam. midi et dim.* – **Repas** 120.

BX 53

### St-Vincent
26 r. Croix-Nivert (15e) ✆ 47 34 14 94
bistrot – ▤. GB
*fermé sam. midi et dim.* – **Repas** carte 170 à 240 ♁.

BX 12

### Le Petit Mâchon
123 r. Convention (15e) ✆ 45 54 08 62
bistrot – AE ⓓ GB JCB
*fermé 1er au 25 août et dim.* – **Repas** 130 (déj.), 150/200.

# 16e arrondissement

## TROCADÉRO - PASSY
## BOIS DE BOULOGNE
## AUTEUIL - ÉTOILE

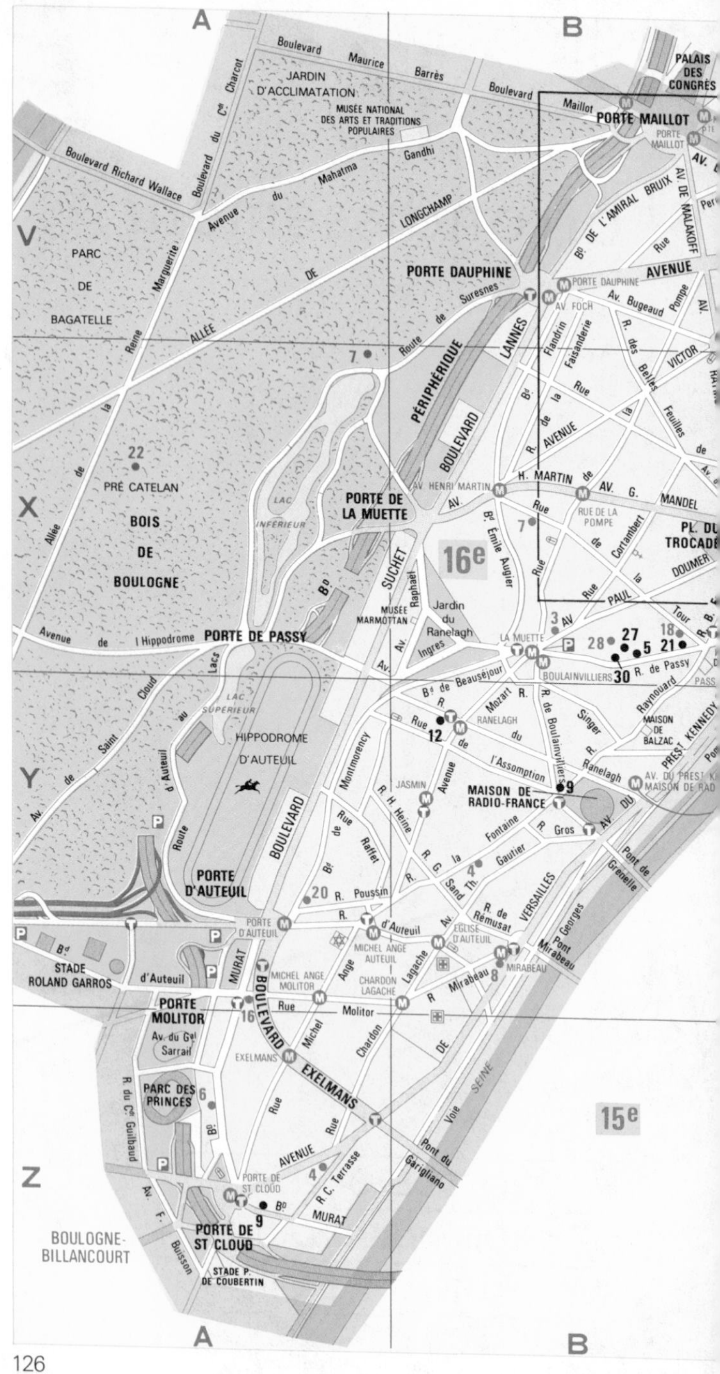
A
B
Boulevard Maurice Barrès
Boulevard Maillot
JARDIN D'ACCLIMATATION
MUSÉE NATIONAL DES ARTS ET TRADITIONS POPULAIRES
PALAIS DES CONGRÈS
PORTE MAILLOT
Boulevard Richard Wallace
Boulevard du Cdt Charcot
Avenue du Mahatma Gandhi
ALLÉE DE LONGCHAMP
Bd DE L'AMIRAL BRUIX
AV. DE MALAKOFF
PARC DE BAGATELLE
PORTE DAUPHINE
AVENUE
Av. FOCH
Av. Bugeaud
Route de Suresnes
PÉRIPHÉRIQUE
BOULEVARD LANNES
R. de la Faisanderie
Rue Flandrin
R. des Belles Feuilles
AVENUE VICTOR
Allée de la Reine Marguerite
22
PRÉ CATELAN
BOIS DE BOULOGNE
LAC INFÉRIEUR
PORTE DE LA MUETTE
AV. HENRI MARTIN
H. MARTIN
AV. G. MANDEL
RUE DE LA POMPE
Rue de la Pompe
Rue Cortambert
PL. DU TROCADÉRO
AV. PAUL DOUMER
16e
Bd Émile Augier
SUCHET
Bd
MUSÉE MARMOTTAN
Av. Raphaël
Jardin du Ranelagh
Av. Ingres
Avenue de l'Hippodrome
PORTE DE PASSY
LA MUETTE
BOULAINVILLIERS
R. de Passy
Rue de la Tour
Route des Lacs
Route de Saint Cloud
Route d'Auteuil au
LAC SUPÉRIEUR
HIPPODROME D'AUTEUIL
Bd de Beauséjour
R. Mozart
RANELAGH
Rue de l'Assomption
R. du Ranelagh
R. de Boulainvilliers
R. Singer
R. Raynouard
MAISON DE BALZAC
AV. DU PREST KENNEDY
MAISON DE RADIO-FRANCE
Av. de Saint Cloud
BOULEVARD Montmorency
JASMIN
Avenue
R. H. Heine
Rue Raffet
R. la Fontaine
R. Gros
R. G. Sand
R. Th. Gautier
PORTE D'AUTEUIL
R. Poussin
R. d'Auteuil
R. de Rémusat
VERSAILLES
Pont de Grenelle
Pont Mirabeau
EGLISE D'AUTEUIL
MICHEL ANGE AUTEUIL
Av. Mirabeau
MIRABEAU
STADE ROLAND GARROS
Bd d'Auteuil
MURAT
BOULEVARD EXELMANS
MICHEL ANGE MOLITOR
CHARDON LAGACHE
PORTE MOLITOR
Rue Molitor
Av. du Gal Sarrail
EXELMANS
Rue Michel Ange
Rue Chardon Lagache
Voie Georges Pompidou
SEINE
R. du Cdt Guilbaud
PARC DES PRINCES
15e
Pont du Garigliano
Z
PORTE DE ST CLOUD
R. C. Terrasse
Bd MURAT
BOULOGNE-BILLANCOURT
Av. F. Buisson
STADE P. DE COUBERTIN
V
X
Y
7
3
28
27
5
21
18
30
12
9
4
20
8
16
6

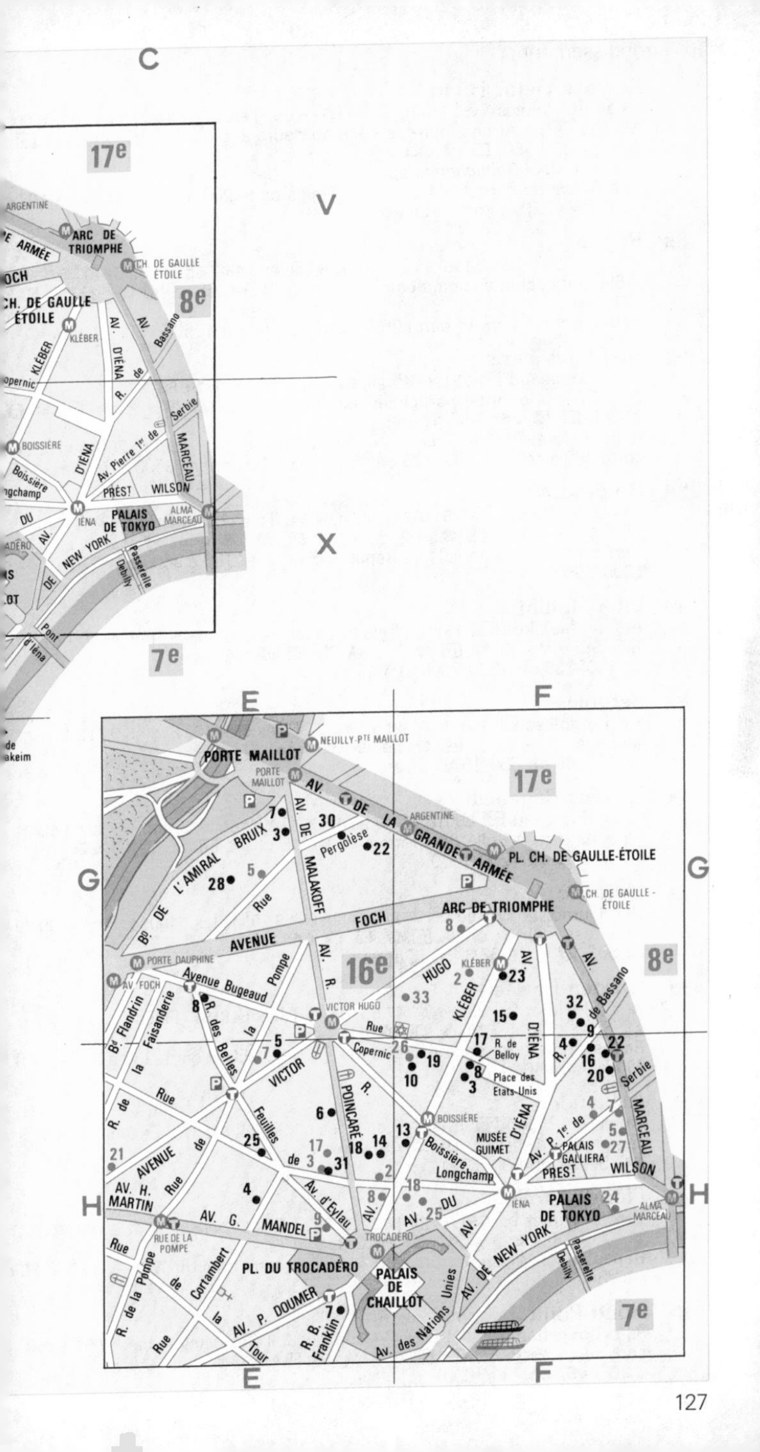
C
V
X
17e
8e
7e
ARC DE TRIOMPHE
CH. DE GAULLE ÉTOILE
KLÉBER
AV. D'IÉNA
Bassano
Serbie
MARCEAU
BOISSIÈRE
Av. Pierre 1er de
WILSON
PALAIS DE TOKYO
ALMA MARCEAU
NEW YORK
Passerelle Debilly
Pont d'Iéna
E
F
G
H
16e
PORTE MAILLOT
NEUILLY-Pte MAILLOT
AV. DE LA GRANDE ARMÉE
ARGENTINE
PL. CH. DE GAULLE-ÉTOILE
BD. DE L'AMIRAL BRUIX
AV. DE MALAKOFF
Pergolèse
AVENUE FOCH
PORTE DAUPHINE
Avenue Bugeaud
Pompe
VICTOR HUGO
Rue Copernic
R. de Belloy
Place des Etats Unis
R. POINCARÉ
Bd. Flandrin
Faisanderie
R. des Belles Feuilles
MUSÉE GUIMET
PALAIS GALLIERA
Boissière
Longchamp
PRÉST
IÉNA
AV. H. MARTIN
AV. G. MANDEL
Av. d'Eylau
TROCADÉRO
RUE DE LA POMPE
PL. DU TROCADÉRO
PALAIS DE CHAILLOT
AV. P. DOUMER
R. B. Franklin
Av. des Nations Unies
Rue de Cortambert
R. de la Pompe
Rue de la Tour

**Le Parc Victor Hugo** EH
55 av. R. Poincaré 75116 44 05 66 66, Télex 643862, Fax 44 05 66 00
M , « Atmosphère de belle demeure anglaise » – ch – 30 à 250. AE GB JCB
voir rest. ***Joël Robuchon*** ci-après
- ***Le Relais du Parc*** 44 05 66 10 **Repas** carte 200 à 320 – 115 – **107 c**
1690/2300, 10 appart, 3 duplex.

**Raphaël** FG
17 av. Kléber 75116 44 28 00 28, Télex 645356, Fax 45 01 21 50
« Élégant cachet ancien, beau mobilier » – ch – 50. AE
GB JCB
**Repas** *(fermé sam. et dim.)* 250 – 115 – **64 ch** 1950/2950, 23 appart.

**St-James Paris** EG
43 av. Bugeaud 75116 44 05 81 81, Fax 44 05 81 82
, « Bel hôtel particulier néo-classique », – P
25. AE GB JCB. rest
**Repas** *(fermé sam., dim. et fériés)* (résidents seul.) 290/300 bc
carte 290 à 460 – 95 – **20 ch** 1500/1950, 20 appart. 3500, 8 duplex.

**Baltimore** FH
88 bis av. Kléber 75116 44 34 54 54, Télex 645284, Fax 44 34 54 44
M – ch – 30 à 100. AE GB JCB. rest
***Bertie's*** - cuisine anglaise - **Repas** 195 et carte 180 à 360 – 115 – **104 c**
1690/2950.

**Villa Maillot** EG
143 av. Malakoff 75116 45 01 25 22, Télex 649808, Fax 45 00 60 61
M sans rest – – 25. AE GB JCB
100 – **39 ch** 1300/2300, 3 appart.

**Pergolèse** EG
3 r. Pergolèse 75116 40 67 96 77, Télex 651618, Fax 45 00 12 11
M sans rest – . AE GB JCB
75 – **40 ch** 850/1500.

**Élysées Régencia** FH
41 av. Marceau 75016 47 20 42 65, Télex 644965, Fax 49 52 03 42
M sans rest, « Belle décoration » – ch . AE GB
80 – **41 ch** 1260/1680.

**Majestic** FG
29 r. Dumont d'Urville 75116 45 00 83 70, Télex 640034, Fax 45 00 29
sans rest – ch . AE GB JCB
60 – **27 ch** 1150/1450, 3 appart.

**Garden Elysée** EH
12 r. St-Didier 75116 47 55 01 11, Télex 648157, Fax 47 27 79 24
M – . AE GB JCB.
**Repas** (snack) *(fermé août, sam. et dim.)* 160/250 et carte 230 à 390 – 80
**48 ch** 1450/1600.

**Alexander** EH
102 av. V. Hugo 75116 45 53 64 65, Télex 645373, Fax 45 53 12 51
sans rest – . AE GB JCB.
75 – **62 ch** 830/1300.

**Floride Etoile** EH
14 r. St-Didier 75116 47 27 23 36, Télex 643715, Fax 47 27 82 87
rest – 40. AE GB JCB.
**Repas** snack *(fermé août, sam. et dim.)* carte environ 150 – 45 – **60 c**
810/840.

**Rond-Point de Longchamp** EH
86 r. Longchamp 75116 45 05 13 63, Télex 640883, Fax 47 55 12 80
sans rest – ch – 40. AE GB
65 – **57 ch** 730/1000.

BY 7
**Frémiet**
6 av. Frémiet ✉ 75016 ✆ 45 24 52 06, Fax 42 88 77 46
sans rest – |♦| ▤ TV ☎. AE ⓓ GB JCB
☕ 40 – **34 ch** 650/915.

FH 3
**Union H. Étoile**
44 r. Hamelin, ✉ 75116 ✆ 45 53 14 95, Télex 645217, Fax 47 55 94 79
sans rest – |♦| cuisinette TV ☎. AE ⓓ GB JCB
☕ 42 – **29 ch** 720/830, 13 appart.

EH 4
**Élysées Sablons**
32 r. Greuze ✉ 75116 ✆ 47 27 10 00, Fax 47 27 47 10
M sans rest – |♦| ⇔ ch TV ☎ ♿. AE ⓓ GB JCB
☕ 75 – **41 ch** 825/885.

FH 16
**Elysées Bassano**
24 r. Bassano ✉ 75116 ✆ 47 20 49 03, Télex 645280, Fax 47 23 06 72
sans rest – |♦| ⇔ ch TV ☎. AE ⓓ GB JCB
☕ 75 – **40 ch** 825/935.

BX 27
**Massenet**
5 bis r. Massenet ✉ 75116 ✆ 45 24 43 03, Télex 640196, Fax 45 24 41 39
sans rest – |♦| TV ☎. AE ⓓ GB JCB. ✗
☕ 40 – **41 ch** 500/760.

FH 19
**Victor Hugo**
19 r. Copernic ✉ 75116 ✆ 45 53 76 01, Télex 645939, Fax 45 53 69 93
sans rest – |♦| TV ☎. AE ⓓ GB. ✗
☕ 60 – **75 ch** 644/788.

FH 4
**Résidence Bassano**
15 r. Bassano ✉ 75116 ✆ 47 23 78 23, Fax 47 20 41 22
M sans rest – |♦| cuisinette ▤ TV ☎. AE ⓓ GB JCB
☕ 65 – **27 ch** 750/1150, 3 appart.

FH 17
**Sévigné**
6 r. Belloy ✉ 75116 ✆ 47 20 88 90, Télex 645219, Fax 40 70 98 73
sans rest – |♦| TV ☎. AE ⓓ GB JCB
☕ 47 – **30 ch** 730/860.

EG 7
**Résidence Impériale**
155 av. Malakoff ✉ 75116 ✆ 45 00 23 45, Télex 651158, Fax 45 01 88 82
M sans rest – |♦| ▤ TV ☎. AE ⓓ GB JCB
☕ 45 – **37 ch** 750/890.

EH 7
**Les Jardins du Trocadéro**
35 r. Franklin ✉ 75116 ✆ 53 70 17 70, Fax 53 70 17 80
M – |♦| ⇔ ch ▤ TV ☎. AE ⓓ GB JCB
**Repas** (snack) 120/150 🍷 – ☕ 60 – **16 ch** 850/1250, 6 appart.

FH 8
**Kléber**
7 r. Belloy ✉ 75116 ✆ 47 23 80 22, Fax 49 52 07 20
sans rest – |♦| TV ☎ Ⓟ. AE ⓓ GB JCB
☕ 45 – **23 ch** 780/840.

AZ 9
**Murat**
119 bis bd Murat ✉ 75016 ✆ 46 51 12 32, Fax 46 51 70 01
sans rest – |♦| TV ☎. AE ⓓ GB. ✗
☕ 45 – **28 ch** 650/750.

FG 9
**Résidence Chambellan Morgane**
6 r. Keppler ✉ 75116 ✆ 47 20 35 72, Fax 47 20 95 69
M sans rest – |♦| TV ☎. AE ⓓ GB. ✗
☕ 50 – **20 ch** 650/900.

EG 22
**Étoile Maillot**
10 r. Bois de Boulogne (angle r. Duret) ✉ 75116 ✆ 45 00 42 60, Fax 45 00 55 89
sans rest – |♦| TV ☎. AE ⓓ GB
☕ 40 – **27 ch** 520/690.

**Ambassade**
79 r. Lauriston ✉ 75116 ✆ 45 53 41 15, Fax 45 53 30 80
sans rest – |‡| TV ☎. AE ⓓ GB. ✂
☐ 40 – **38 ch** 430/535.
FH

**Résidence Foch**
10 r. Marbeau ✉ 75116 ✆ 45 00 46 50, Fax 45 01 98 68
sans rest – |‡| TV ☎. AE ⓓ GB JCB
☐ 45 – **21 ch** 656/762, 4 appart.
EG

**Passy Eiffel**
10 r. Passy ✉ 75016 ✆ 45 25 55 66, Fax 42 88 89 88
sans rest – |‡| ▤ TV ☎. AE ⓓ GB
☐ 35 – **50 ch** 580/650.
BX

**Résidence Marceau**
37 av. Marceau ✉ 75116 ✆ 47 20 43 37, Fax 47 20 14 76
sans rest – |‡| TV ☎. AE ⓓ GB JCB. ✂
*fermé 1er au 24 août*
☐ 35 – **30 ch** 530/620.
FH

**Longchamp**
68 r. Longchamp ✉ 75116 ✆ 47 27 13 48, Fax 47 55 68 26
sans rest – |‡| TV ☎. AE ⓓ GB JCB
☐ 50 – **23 ch** 600/750.
EH

**Beauséjour Ranelagh**
99 r. Ranelagh ✉ 75016 ✆ 42 88 14 39, Fax 40 50 81 21
sans rest – |‡| TV ☎. AE GB
☐ 40 – **30 ch** 450/700.
BY

**Eiffel Kennedy**
12 r. Boulainvilliers ✉ 75016 ✆ 45 24 45 75, Fax 42 30 83 32
M sans rest – |‡| TV ☎. AE ⓓ GB. ✂
☐ 40 – **30 ch** 500/620.
BY

**Hameau de Passy**
48 r. Passy ✉ 75016 ✆ 42 88 47 55, Fax 42 30 83 72
M ⛰ sans rest – TV ☎ ♿. AE ⓓ GB
☐ 30 – **32 ch** 490/530.
BX

**Keppler**
12 r. Keppler ✉ 75116 ✆ 47 20 65 05, Fax 47 23 02 29
sans rest – |‡| TV ☎. AE GB. ✂
☐ 30 – **49 ch** 450.
FG

**Nicolo**
3 r. Nicolo ✉ 75016 ✆ 42 88 83 40, Télex 649585, Fax 42 24 45 41
sans rest – |‡| TV ☎. GB JCB
☐ 35 – **28 ch** 350/450.
BX

XXXX ✿✿✿ **Joël Robuchon**
59 av. R. Poincaré ✉ 75116 ✆ 47 27 12 27, Fax 47 27 31 22
« Bel hôtel particulier de style "Art Nouveau" » – ▤. GB
*fermé 8 juil. au 7 août, 23 déc. au 2 janv., sam. et dim.* – **Repas** 890/1200
carte 700 à 1 100
**Spéc.** Gelée de caviar à la crème de chou-fleur. Tarte friande de truffes aux oignons et la
fumé (déc. à mars). Lièvre à la royale (oct. à déc.).
EH

XXXX ✿✿ **Vivarois** (Peyrot)
192 av. V.-Hugo, ✉ 75116 ✆ 45 04 04 31, Fax 45 03 09 84
▤. AE ⓓ GB JCB
*fermé août, sam. et dim.* – **Repas** 345 (déj.)et carte 410 à 690
**Spéc.** Galettes de pommes de terre aux truffes (saison). Barbue rôtie au jus de viande et
lard. Canard au miel et aux épices.
EH

XXXX ✿✿ **Faugeron** EH 2
52 r. Longchamp ✉ 75116 ✆ 47 04 24 53, Fax 47 55 62 90
AE GB JCB.
*fermé août, 23 déc. au 2 janv., sam. sauf le soir d'oct. à avril et dim.* – **Repas** 290 (déj.)/550 bc et carte 430 à 550
**Spéc.** Parmentier de truffes aux fines épices (janv. à mars). Côte de veau au miel, citron et épices. Macaron à la vanille aux fruits rouges (mai à sept.).

XXX **Prunier-Traktir** FG 8
16 av. V. Hugo ✉ 75116 ✆ 44 17 35 85, Fax 44 17 90 10
AE GB JCB
*fermé 15 juil. au 15 août, dim. soir et lundi* – **Repas** - produits de la mer - carte 320 à 450.

XXX ✿ **Toit de Passy** (Jacquot) BX 3
94 av. P. Doumer (6e étage) ✉ 75016 ✆ 45 24 55 37, Fax 45 20 94 57
– P. AE GB
*fermé sam. midi et dim.* – **Repas** 195 (déj.), 295/495
**Spéc.** Foie gras poêlé à la polenta et raisins secs. Filets de rouget en écailles de pommes de terre. Tarte aux pommes caramélisée à l'envers.

XXX **Tsé-Yang** FH 4
25 av. Pierre 1er de Serbie ✉ 75016 ✆ 47 20 70 22, Fax 49 52 03 68
« Cadre élégant » – AE GB.
**Repas** - cuisine chinoise - 115 (déj.), 245/285 et carte 200 à 300.

XXX **Pavillon Noura** FH 5
21 av. Marceau ✉ 75116 ✆ 47 20 33 33, Fax 47 20 60 31
– AE GB
**Repas** - cuisine libanaise - 156 (déj.), 200/320 et carte 160 à 250.

XXX ✿ **Port Alma** (Canal) FH 24
10 av. New York ✉ 75116 ✆ 47 23 75 11
AE GB
*fermé août et dim.* – **Repas** - produits de la mer - 200 (déj.), 250/400 et carte 250 à 420
**Spéc.** Gaspacho de tourteau (mai à sept.). Bar en croûte de sel de Guérande. Soufflé au chocolat.

XXX ✿ **Relais d'Auteuil** (Pignol) AY 16
31 bd. Murat ✉ 75016 ✆ 46 51 09 54, Fax 40 71 05 03
AE GB JCB
*fermé 1er au 21 août, sam. midi et dim.* – **Repas** 230 (déj.), 390/480 et carte 370 à 470
**Spéc.** Amandine de foie gras de canard. Bar au poivre concassé parfumé aux aromates. Madeleines au miel de bruyère, glace miel et noix.

XXX **Le Pergolèse** EG 5
40 r. Pergolèse ✉ 75116 ✆ 45 00 21 40, Fax 45 00 81 31
AE GB
*fermé 8 au 22 août, sam. et dim.* – **Repas** 230 (déj.)/360 et carte 280 à 370.

XXX **Chez Ngo** EH 3
70 r. Longchamp ✉ 75116 ✆ 47 04 53 20, Fax 47 04 53 20
AE GB JCB.
**Repas** - cuisine chinoise et thaïlandaise - carte 130 à 170.

XX **Al Mounia** FH 25
16 r. Magdebourg ✉ 75116 ✆ 47 27 57 28
AE GB.
*fermé 10 juil. au 31 août et dim.* – **Repas** - cuisine marocaine - (le soir, prévenir) carte 140 à 270.

XX ✿ **Conti** FH 2
72 r. Lauriston ✉ 75116 ☎ 47 27 74 67, Fax 47 27 37 66
▤. AE ⓓ GB
*fermé 4 au 28 août, 29 déc. au 8 janv., sam. et dim.* – **Repas** - cuisine italienn - 198 (déj.)et carte 290 à 420
**Spéc.** Farci d'os à moelle à la truffe noire (15 déc. au 15 janv.). Poêlée de palourdes au fenou (1er oct. au 15 déc.). Dégustation de pâtes fraîches.

XX **Carré Kléber** FH 1
11bis r. Magdebourg ✉ 75016 ☎ 47 55 82 08, Fax 47 55 80 09
▤. GB. ✗
*fermé 29 juil. au 27 août, sam. midi, dim. et fériés* – **Repas** 160/200.

XX **Giulio Rebellato** EH
136 r. Pompe ✉ 75116 ☎ 47 27 50 26
▤. AE GB. ✗
*fermé août et dim.* – **Repas** - cuisine italienne - 170 bc (déj.), 200/35 et carte 240 à 340.

XX ✿ **Fontaine d'Auteuil** (Grégoire) BY
35bis r. La Fontaine ✉ 75016 ☎ 42 88 04 47
▤. AE ⓓ GB
*fermé 30 juil. au 20 août, vacances de fév., sam. midi et dim.* – **Repas** 17 (déj.), 230/350 et carte 260 à 400
**Spéc.** Civet de lièvre à la beauceronne (20 sept. au 15 déc.). Poulet du Gatinais au vinaig d'Orléans. Millefeuille.

XX **Tang** BX
125 r. de la Tour ✉ 75116 ☎ 45 04 35 35, Fax 45 04 58 19
AE GB. ✗
*fermé août et lundi* – **Repas** - cuisine chinoise et thaïlandaise - carte 200 à 30

XX **Villa Vinci** FG
23 r. P. Valéry ✉ 75116 ☎ 45 01 68 18
▤. AE GB. ✗
*fermé août, sam. et dim.* – **Repas** - cuisine italienne - 175 (déj.)/3 et carte 240 à 340 ♨.

XX **Paul Chêne** EH
123 r. Lauriston ✉ 75116 ☎ 47 27 63 17
▤. AE ⓓ GB
*fermé 28 juil. au 22 août, 24 déc. au 2 janv., sam. midi et dim.* – **Repas** 2 et carte 260 à 340.

XX **Sous l'Olivier** FH
15 r. Goethe ✉ 75116 ☎ 47 20 84 81, Fax 47 20 73 75
AE GB
*fermé août, sam., dim. et fériés* – **Repas** carte 200 à 300.

XX **Palais du Trocadéro** EH
7 av. Eylau ✉ 75116 ☎ 47 27 05 02, Fax 47 27 25 51
▤. AE GB
**Repas** - cuisine chinoise - 120 (déj.), 150/200 bc et carte 150 à 220 ♨.

XX ✿ **La Petite Tour** (Israël) BX
11 r. de la Tour ✉ 75116 ☎ 45 20 09 31
AE ⓓ GB JCB
*fermé 10 au 20 août et dim.* – **Repas** carte 270 à 400
**Spéc.** Fricassée de champignons sauvages (juil. à déc.). Côte de veau de lait, sauce Périgue Râble de lièvre sauce smitane.

XX **Marius** AZ
82 bd Murat ✉ 75016 ☎ 46 51 67 80
☂ - GB
*fermé août, vacances de Noël, sam. midi et dim.* – **Repas** carte 2 à 290.

XX **Chez Géraud** BX 28
31 r. Vital ✉ 75016 ☎ 45 20 33 00
« Belle fresque en faïence de Longwy » – AE GB
*fermé 1er au 30 août, sam. sauf le soir d'oct. à fév. et dim.* – **Repas** 200 et carte 220 à 350.

XX **San Francisco** BY 8
1 r. Mirabeau ✉ 75016 ☎ 46 47 84 89
AE GB
*fermé 4 au 18 août et dim.* – **Repas** - cuisine italienne - carte 220 à 300.

X **Beaujolais d'Auteuil** AY 20
99 bd Montmorency ✉ 75016 ☎ 47 43 03 56, Fax 46 51 27 81
bistrot – GB
*fermé sam. midi et dim.* – **Repas** 119 bc et carte 160 à 220.

X **La Butte Chaillot** EH 8
110 bis av. Kléber ✉ 75116 ☎ 47 27 88 88, Fax 47 04 85 70
AE GB JCB
**Repas** 210 et carte 240 à 330.

X **Le Cuisinier François** AZ 4
19 r. Le Marois ✉ 75016 ☎ 45 27 83 74
GB
*fermé août, dim. soir et lundi* – **Repas** 140 et carte 170 à 250.

X **Bistrot de l'Étoile** FG 2
19 r. Lauriston ✉ 75016 ☎ 40 67 11 16, Fax 45 00 99 87
AE GB
*fermé sam. midi et dim.* – **Repas** carte 180 à 230.

X **Noura** FH 7
27 av. Marceau ✉ 75116 ☎ 47 23 02 20, Fax 49 52 01 26
AE GB.
**Repas** - cuisine libanaise - carte 160 à 200.

***Au Bois de Boulogne :***

XXXX **Pré Catelan** AX 22
rte Suresnes ✉ 75016 ☎ 45 24 55 58, Fax 45 24 43 25
– P. AE GB JCB
*fermé vacances de fév., dim. soir et lundi* – **Repas** 280 (déj.), 550/690 et carte 490 à 730
**Spéc.** Saucisses fondantes de couenne au parfum de truffe noire. Risotto noir de langoustines au basilic thaï. Gâteau chaud chocolat-pistache, crème fouettée à l'orgeat.

XXXX **Grande Cascade**
allée de Longchamp (face hippodrome) ✉ 75016 ☎ 45 27 33 51, Fax 42 88 99 06
– P. AE GB
*fermé 20 déc. au 20 janv. et le soir du 1er nov. au 1er avril* – **Repas** 285 (déj.)/480 et carte 370 à 600.

XXX **Pavillon Royal** AX 7
rte Suresnes ✉ 75016 ☎ 40 67 11 56, Fax 45 00 31 24
– P. AE GB
*fermé 25 déc. au 2 janv., dim. sauf le midi d'avril à sept. et sam. d'oct. à mars* – **Repas** 198 (déj.), 280/360 et carte 320 à 410.

# 17$^{e}$ arrondissement

## PALAIS DES CONGRÈS

## WAGRAM – TERNES

## BATIGNOLLES

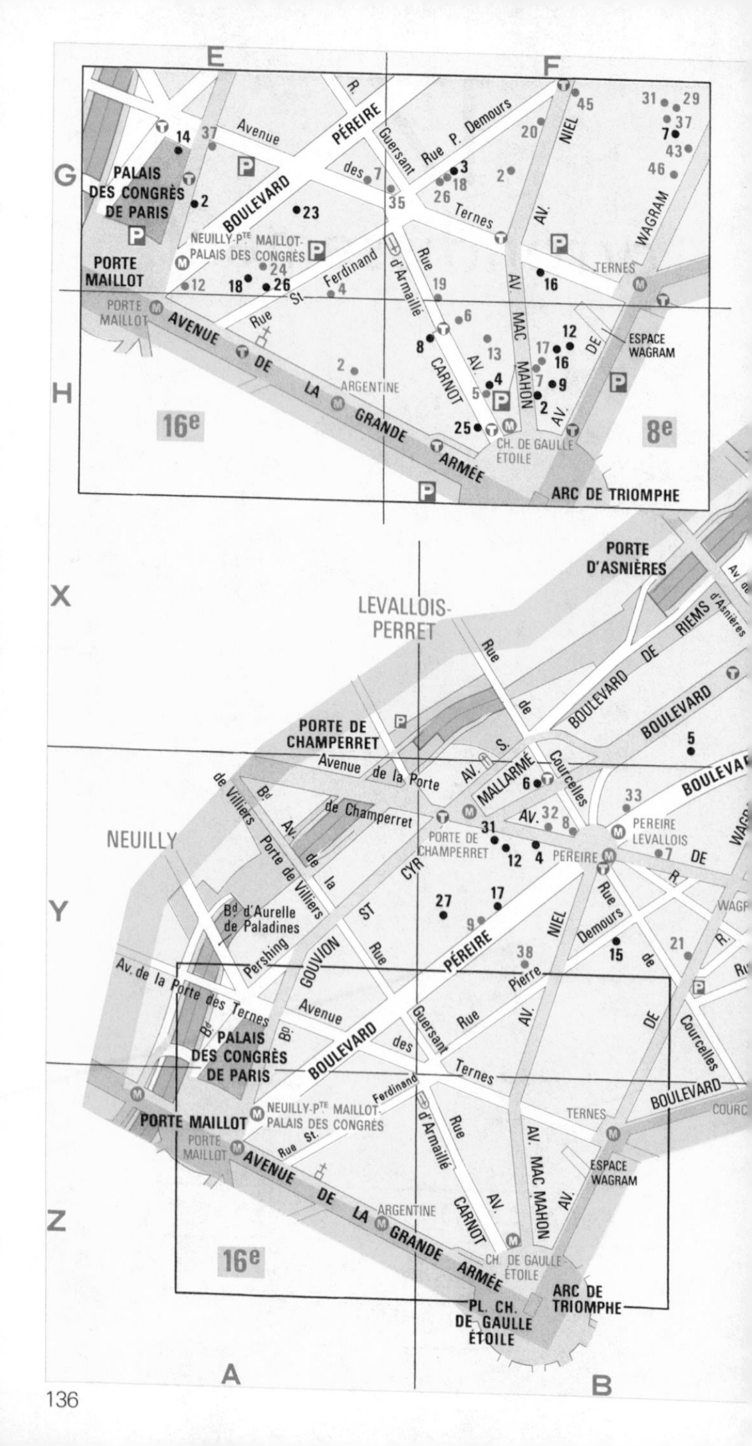
PALAIS DES CONGRÈS DE PARIS
PORTE MAILLOT
BOULEVARD PÉREIRE
Avenue des Ternes
Rue P. Demours
Rue Guersant
AV. NIEL
WAGRAM
TERNES
NEUILLY-PTE MAILLOT-PALAIS DES CONGRÈS
Rue St. Ferdinand
Rue d'Armaillé
AV. CARNOT
AV. MAC MAHON
AVENUE DE LA GRANDE ARMÉE
ARGENTINE
CH. DE GAULLE ÉTOILE
ARC DE TRIOMPHE
ESPACE WAGRAM
16e
8e
PORTE D'ASNIÈRES
LEVALLOIS-PERRET
BOULEVARD DE RIEMS
Rue de Courcelles
PORTE DE CHAMPERRET
Avenue de la Porte de Champerret
AV. S. MALLARMÉ
NEUILLY
Bd de Villiers
Av. de la Porte de Villiers
Bd d'Aurelle de Paladines
Pershing
Av. de la Porte des Ternes
GOUVION ST CYR
PEREIRE LEVALLOIS
PEREIRE
Rue Pierre Demours
BOULEVARD DE COURCELLES
PL. CH. DE GAULLE ÉTOILE

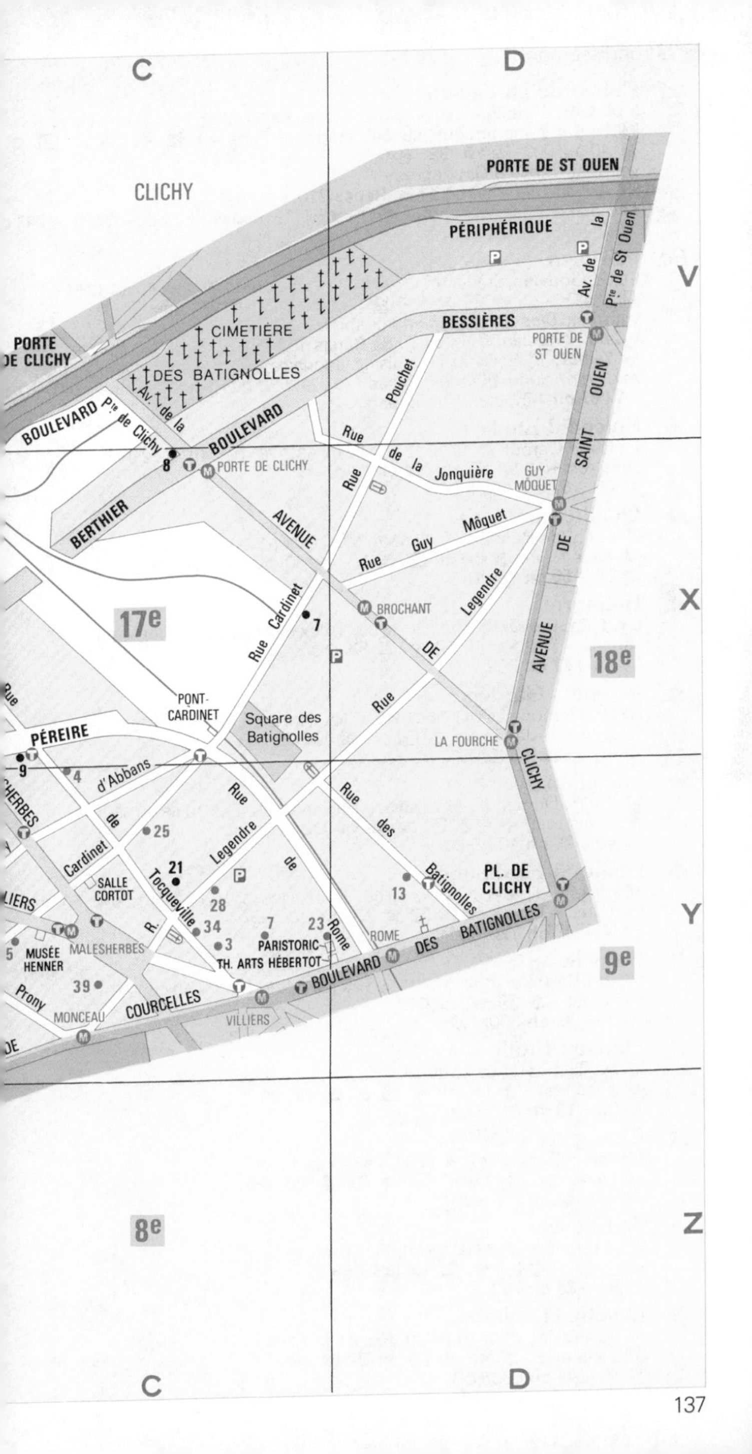
C
D
V
X
Y
Z
CLICHY
PORTE DE ST OUEN
PÉRIPHÉRIQUE
CIMETIÈRE DES BATIGNOLLES
PORTE DE CLICHY
BOULEVARD
BESSIÈRES
PORTE DE ST OUEN
Pouchet
Rue de la Jonquière
GUY MÔQUET
BERTHIER
AVENUE DE SAINT OUEN
Rue Guy Môquet
Rue Legendre
BROCHANT
17e
18e
9e
8e
Rue Cardinet
PONT-CARDINET
Square des Batignolles
PÉREIRE
LA FOURCHE
CLICHY
d'Abbans
Rue de Tocqueville
Rue Legendre
Rue des Batignolles
Cardinet
SALLE CORTOT
PL. DE CLICHY
MUSÉE HENNER
MALESHERBES
PARISTORIC
TH. ARTS HÉBERTOT
Rome
ROME
BOULEVARD DES BATIGNOLLES
Prony
MONCEAU
COURCELLES
VILLIERS

**Concorde La Fayette** EG
3 pl. Gén.-Koenig ✆ 40 68 50 68, Fax 40 68 50 43
M, « Bar panoramique au 34e étage ≤ Paris » – ch TV ☎
40 à 2 000. AE GB JCB
voir rest. ***Étoile d'Or*** ci-après
- ***L'Arc-en-Ciel*** ✆ 40 68 51 25 **Repas** 220, enf. 100
***Les Saisons*** (coffee shop) ✆ 40 68 51 19 **Repas** 155 bc – 95 – **943**
1420/1820, 27 appart.

**Méridien** EG
81 bd Gouvion St Cyr ✆ 40 68 34 34, Télex 651179, Fax 40 68 31 31
M – ch TV ☎ – 50 à 800. AE GB JCB
voir rest. ***Clos de Longchamp*** ci-après
- ***Café l'Arlequin*** ✆ 40 68 30 85 **Repas** 152/250 et carte 220 à 330
***Le Yamato*** ✆ 40 68 30 41 - cuisine japonaise - *(fermé août, 1er au 7 janv., sa midi, dim., lundi et fériés)* **Repas** 170 (déj.) 200/250 et carte 190 à 280 –
– **1 007 ch** 1450/1850, 18 appart.

**Splendid Etoile** FH
1 bis av. Carnot ✆ 45 72 72 00, Télex 651773, Fax 45 72 72 01
sans rest – TV ☎. GB.
80 – **57 ch** 890/1650.

**Quality Inn Pierre** BY
25 r. Th.-de-Banville ✆ 47 63 76 69, Télex 643003, Fax 43 80 63 96
M sans rest – ch TV ☎ – 30. AE GB JCB
65 – **50 ch** 790/870.

**Balmoral** FH
6 r. Gén.-Lanrezac ✆ 43 80 30 50, Télex 642435, Fax 43 80 51 56
sans rest – ch TV ☎. AE GB
38 – **57 ch** 500/700.

**Regent's Garden** FG
6 r. P.-Demours ✆ 45 74 07 30, Télex 640127, Fax 40 55 01 42
sans rest, « Jardin » – TV ☎. AE GB JCB
39 – **39 ch** 640/930.

**Magellan** BY
17 r. J.B.-Dumas ✆ 45 72 44 51, Télex 644728, Fax 40 68 90 36
sans rest, – TV ☎. AE GB.
40 – **75 ch** 407/594.

**Étoile St-Ferdinand** EG
36 r. St-Ferdinand ✆ 45 72 66 66, Télex 649565, Fax 45 74 12 92
sans rest – ch TV ☎. AE GB JCB
50 – **42 ch** 720/880.

**Banville** BY
166 bd Berthier ✆ 42 67 70 16, Télex 643025, Fax 44 40 42 77
sans rest – TV ☎. AE GB
45 – **39 ch** 600/700.

**Mercure Etoile** FG
27 av. Ternes ✆ 47 66 49 18, Télex 650679, Fax 47 63 77 91
M sans rest – ch TV ☎. AE GB
60 – **56 ch** 856/862.

**Champerret-Villiers** BY
129 av. Villiers ✆ 47 64 44 00, Fax 47 63 10 58
M sans rest – ch TV ☎. AE GB JCB.
50 – **45 ch** 515/675.

**de Neuville** BX
3 r. Verniquet ✆ 43 80 26 30, Fax 43 80 38 55
sans rest – TV ☎. AE GB JCB
55 – **28 ch** 750.

**Quality H. Péreire** CX
51 bd Péreire ✆ 44 01 04 90, Fax 44 40 25 54
M sans rest – ch TV ☎. AE GB
45 – **44 ch** 600/650.

BY 31
**Cheverny**
7 Villa Berthier ✆ 43 80 46 42, Télex 648848, Fax 47 63 26 62
M sans rest – |‡| TV ☎. AE ⓓ GB JCB
☕ 40 – **48 ch** 500/800.

FH 12
**Neva**
14 r. Brey ✆ 43 80 28 26, Télex 649041, Fax 47 63 00 22
M sans rest – |‡| ▤ TV ☎ ♿. AE ⓓ GB. ✗
☕ 40 – **31 ch** 580/720.

BY 17
**Étoile Pereire**
146 bd Péreire ✆ 42 67 60 00, Fax 42 67 02 90
sans rest – |‡| TV ☎. AE ⓓ GB. ✗
☕ 54 – **21 ch** 500/700, 5 duplex.

BY 10
**Mercédès**
128 av. Wagram ✆ 42 27 77 82, Télex 644751, Fax 40 53 09 89
sans rest – |‡| ▤ TV ☎. AE ⓓ GB. ✗
☕ 50 – **37 ch** 700.

FH 2
**Étoile Park H.**
10 av. Mac Mahon ✆ 42 67 69 63, Télex 649266, Fax 43 80 18 99
sans rest – |‡| TV ☎. AE ⓓ GB
*fermé 24 déc. au 2 janv.*
☕ 52 – **28 ch** 484/760.

FG 7
**Monceau**
7 r. Rennequin ✆ 47 63 07 52, Fax 47 66 84 44
sans rest – |‡| ✗ ch TV ☎. AE ⓓ GB JCB
☕ 75 – **25 ch** 760/815.

FH 16
**Tilsitt Étoile**
23 r. Brey ✆ 43 80 39 71, Télex 640629, Fax 47 66 37 63
sans rest – |‡| TV ☎. AE ⓓ GB
☕ 45 – **39 ch** 570/780.

CY 21
**Monceau Étoile**
64 r. de Levis ✆ 42 27 33 10, Fax 42 27 59 58
sans rest – |‡| TV ☎. GB. ✗
☕ 30 – **26 ch** 600/650.

EG 18
**Harvey**
7 bis r. Débarcadère ✆ 45 74 27 19, Fax 40 68 03 56
sans rest – |‡| TV ☎. AE ⓓ GB JCB
☕ 35 – **32 ch** 500/720.

FH 9
**Royal Magda**
7 r. Troyon ✆ 47 64 10 19, Télex 641068, Fax 47 64 02 12
sans rest – |‡| TV ☎. AE ⓓ GB. ✗
☕ 45 – **26 ch** 620/695, 11 appart.

CX 7
**Abrial**
176 r. Cardinet ✆ 42 63 50 00, Fax 42 63 50 03
M sans rest – |‡| TV ☎ ♿ 🚗. AE GB JCB. ✗
☕ 45 – **80 ch** 490/640.

FH 8
**Astrid**
27 av. Carnot ✆ 44 09 26 00, Télex 642065, Fax 44 09 26 01
sans rest – |‡| TV ☎. AE ⓓ GB JCB
☕ 50 – **40 ch** 425/690.

EG 23
**Palma**
46 r. Brunel ✆ 45 74 74 51, Fax 45 74 40 90
sans rest – |‡| TV ☎. GB. ✗
☕ 35 – **37 ch** 380/460.

**Champerret-Héliopolis** BY
13 r. Héliopolis 47 64 92 56, Fax 47 64 50 44
M sans rest – TV . AE GB
38 – **22 ch** 350/540.

**Campanile** CX
4 bd Berthier 46 27 10 00, Fax 46 27 00 57
– ch TV – 40. AE GB
**Repas** 90 bc/117 bc, enf. 39 – 32 – **247 ch** 416.

**Guy Savoy** FH
18 r. Troyon 43 80 40 61, Fax 46 22 43 09
. AE GB JCB
*fermé sam. midi et dim.* – **Repas** 750 et carte 570 à 700
**Spéc.** Foie gras de canard au sel gris et gelée de canard. Bar en écailles grillées aux épic douces. "Craquant-moelleux" vanille et pomme, jus minute.

**Michel Rostang** FG
20 r. Rennequin 47 63 40 77, Fax 47 63 82 75
« Cadre élégant » – . AE GB JCB
*fermé 1er au 15 août, sam. midi et dim.* – **Repas** 298 (déj.), 520/72 et carte 550 à 710
**Spéc.** Tarte chaude de grenouilles poêlées. Truffes (15 déc.-15 mars). Canette de Bresse a sang.

**Étoile d'Or** - Hôtel Concorde La Fayette EG
3 pl. Gén.-Koenig 40 68 51 28, Fax 40 68 50 43
. AE GB JCB
*fermé août, sam. et dim.* – **Repas** 270 et carte 270 à 630
**Spéc.** Turbot grillé aux graines de fenouil. Joue de boeuf en ravigote. Soufflé chaud a chocolat.

**Le Clos Longchamp** - Hôtel Méridien EG
81 bd Gouvion-St-Cyr (Pte Maillot) 40 68 00 70, Télex 65117 Fax 40 68 30 81
. AE GB JCB
*fermé août, 24 au 30 déc., sam, dim. et fériés* – **Repas** 250 (déj.)/47 et carte 400 à 600
**Spéc.** Rattes du Touquet et foie gras rôti. Feuilleté de Saint-Jacques (en saison). Steak c canard aux algues marines.

**Manoir de Paris** FG
6 r. P. Demours 45 72 25 25, Fax 45 74 80 98
. AE GB
*fermé sam. (sauf le soir de sept. à juin) et dim.* – **Repas** 265/45 et carte 310 à 460
**Spéc.** Tartelette de légumes (mars à sept.). Pigeonneau rôti au macis. Palet or au craquel noisettine.

**Apicius** (Vigato) BY
122 av. Villiers 43 80 19 66, Fax 44 40 09 57
. AE GB JCB
*fermé août, sam. et dim.* – **Repas** carte 400 à 560
**Spéc.** Langoustines façon "tempura". Ris de veau comme à la broche. Feuille de chocol "passion-choco".

**Amphyclès** (Groult) EG
78 av. Ternes 40 68 01 01, Fax 40 68 91 88
. AE GB
*fermé sam. midi et dim.* – **Repas** 260 (déj.), 580/780 et carte 450 à 600
**Spéc.** Araignée de mer en carapace. Foie gras frais de canard "demi-sel", mijotée de cocc Agneau de Lozére en persillade.

XXX ✿ **Le Sormani** (Fayet) — FH 5
4 r. Gén.-Lanrezac ✆ 43 80 13 91
▤. AE GB
*fermé 15 au 23 avril, 29 juil. au 20 août, 23 déc. au 2 janv., sam., dim. et fériés* – **Repas** - cuisine italienne - 350 bc (déj.), 400 bc/500 bc et carte 310 à 410
**Spéc.** Ravioli aux oursins (1er oct. au 31 mars). Risotto aux tagliatelles à la truffe blanche (10 oct. au 20 déc.). Soufflé aux quatre fromages à la truffe noire (15 janv. au 15 mars).

XXX ✿ **Faucher** — BY 21
123 av. Wagram ✆ 42 27 61 50, Fax 46 22 25 72
AE GB
*fermé sam. midi et dim.* – **Repas** carte 200 à 310
**Spéc.** Millefeuille de boeuf. Rizotto de langoustines. Panaché d'agneau à la marjolaine.

XXX **Pétrus** — BY 8
12 pl. Mar. Juin ✆ 43 80 15 95, Fax 43 80 06 96
▤. AE ◑ GB
*fermé août* – **Repas** - produits de la mer - carte 280 à 450.

XXX ✿ **Timgad** (Laasri) — EG 4
21 r. Brunel ✆ 45 74 23 70, Télex 649239, Fax 40 68 76 46
« Décor mauresque » – ▤. AE ◑ GB. ✻
**Repas** - cuisine nord-africaine - carte 240 à 390
**Spéc.** Couscous princier. Pastilla. Tagine.

XXX **Augusta** — CY 4
98 r. Tocqueville ✆ 47 63 39 97, Fax 42 27 21 71
GB
*fermé 7 au 21 août, sam. sauf le soir d'oct. à avril et dim.* – **Repas** - produits de la mer - carte 370 à 460.

XXX **Il Ristorante** — FG 37
22 r. Fourcroy ✆ 47 63 34 00
▤. AE GB
*fermé 6 au 20 août et 24 déc. au 2 janv.* – **Repas** - cuisine italienne - 165 (déj.), 170/300 et carte 240 à 350.

XX ✿ **Le Petit Colombier** (Fournier) — FH 6
42 r. Acacias ✆ 43 80 28 54, Fax 44 40 04 29
AE GB
*fermé 30 juil. au 15 août, dim. midi et sam.* – **Repas** 200/350 et carte 300 à 440
**Spéc.** Oeufs rôtis à la broche aux truffes fraîches (déc. à fév.). Suprême de grouse rôtie aux baies de genièvre (août à oct.). Pigeonneau farci au foie gras.

XX **La Table de Pierre** — BY 33
116 bd Péreire ✆ 43 80 88 68, Fax 47 66 53 02
☂ – ▤. AE GB
*fermé sam. midi et dim.* – **Repas** carte 210 à 360.

XX **Le Madigan** — CY 3
22 r. Terrasse ✆ 42 27 31 51, Fax 42 67 70 29
☂ – ▤. AE ◑ GB
*fermé août, sam. midi et dim.* – **Repas** (dîner-concert) 150/280 et carte 280 à 390 ♪.

XX **Graindorge** — FH 13
15 r. Arc de Triomphe ✆ 47 54 00 28, Fax 44 09 84 51
AE GB
*fermé 1er au 15 août, sam. midi et dim.* – **Repas** 160 (déj.), 185/250 et carte 200 à 300.

XX **Le Col-Vert** — FG 2
18 r. Bayen ✆ 45 72 02 19
▤. AE GB JCB
*fermé 1er au 21 août, sam. midi et dim.* – **Repas** 160 et carte 240 à 320.

XX **Billy Gourmand** — CY 34
20 r. Tocqueville ✆ 42 27 03 71
AE GB
*fermé sam. sauf le soir du 10 sept. au 20 juin et dim.* – **Repas** 150 et carte 260 à 350.

XX **Le Beudant**
97 r. des Dames ✆ 43 87 11 20 CY
▤. AE ⓓ GB JCB
*fermé 14 au 20 août, sam. midi et dim.* – **Repas** 150/285 et carte 230 à 35

XX **La Truite Vagabonde**
17 r. Batignolles ✆ 43 87 77 80 DY
– AE GB
*fermé dim. soir* – **Repas** 220 bc/320 bc et carte 240 à 350.

XX **Taïra**
10 r. Acacias ✆ 47 66 74 14, Fax 47 66 74 14 EH
▤. AE ⓓ GB
*fermé sam. midi et dim.* – **Repas** - produits de la mer - 150/3
et carte 280 à 360.

XX **La Coquille**
6 r. Débarcadère ✆ 45 74 25 95 EG
▤. AE ⓓ GB
*fermé 29 juil. au 1er sept., 23 déc. au 2 janv., dim. et lundi* – **Repas** 2
et carte 270 à 390.

XX **Aub. des Dolomites**
38 r. Poncelet ✆ 42 27 94 56 FG
AE GB JCB
*fermé 22 juil. au 20 août, sam. midi et dim.* – **Repas** 125/1
et carte 230 à 340.

XX **Les Marines de Pétrus**
27 av. Niel ✆ 47 63 04 24, Fax 44 15 92 20 FG
▤. AE ⓓ GB
*fermé août, dim. et lundi* – **Repas** - produits de la mer - carte 200 à 300.

XX **La Niçoise**
4 r. P. Demours ✆ 45 74 42 41, Fax 45 74 80 98 FG
▤. AE ⓓ GB
*fermé sam. (sauf le soir de sept. à juin) et dim.* – **Repas** 165/220.

XX **La Petite Auberge**
38 r. Laugier ✆ 47 63 85 51 BY
GB
*fermé 30 juil. au 21 août, dim. soir et lundi midi* – **Repas** (nombre de couver
limité, prévenir) 160 et carte 180 à 340.

XX **La Braisière**
54 r. Cardinet ✆ 47 63 40 37, Fax 47 63 04 76 CY
AE GB
*fermé août, sam. et dim.* – **Repas** 175 et carte 240 à 370.

XX **Baumann Ternes**
64 av. Ternes ✆ 45 74 16 66, Fax 45 72 44 32 FG
brasserie – ▤. AE ⓓ GB
**Repas** 150 et carte 190 à 300 ♁.

XX **La Soupière**
154 av. Wagram ✆ 42 27 00 73 CY
▤. AE GB
*fermé 7 au 20 août, sam. midi et dim.* – **Repas** 135/240.

XX **Epicure 108**
108 r. Cardinet ✆ 47 63 50 91 CY
GB
*fermé 7 au 21 août, sam. midi et dim.* – **Repas** 170/230.

XX **Chez Laudrin**
154 bd Péreire ✆ 43 80 87 40 BY
▤. AE GB
*fermé sam. sauf le soir d'oct. à mai et dim.* – **Repas** 165 (déj.)/2
et carte 250 à 350.

XX **Chez Guyvonne** CY 39
14 r. Thann ✆ 42 27 25 43, Fax 42 27 25 43
AE GB.
*fermé 17 juil. au 16 août, 25 déc. au 1er janv., sam., dim. et fêtes* – **Repas** 180/280 et carte 260 à 320.

XX **Chez Georges** EG 12
273 bd Péreire ✆ 45 74 31 00, Fax 45 74 02 56
bistrot – GB
*fermé 1er au 15 août* – **Repas** 175 et carte 180 à 280.

XX **Ballon des Ternes** EG 37
103 av. Ternes ✆ 45 74 17 98, Fax 45 72 18 84
brasserie – AE GB
*fermé 1er au 20 août* – **Repas** carte 150 à 260.

XX **Chez Léon** CY 28
32 r. Legendre ✆ 42 27 06 82
bistrot – GB
*fermé août, sam. et dim.* – **Repas** 130/170 et carte 220 à 330.

X **La Rôtisserie d'Armaillé** FG 19
6 r. Armaillé ✆ 42 27 19 20
AE GB JCB
*fermé sam. midi et dim.* – **Repas** 195/230.

X **L'Impatient** CY 7
14 passage Geffroy Didelot ✆ 43 87 28 10
GB
*fermé 15 août au 5 sept., vacances de fév., sam. et dim.* – **Repas** 100/280 et carte 200 à 250.

X **Mère Michel** FG 43
5 r. Rennequin ✆ 47 63 59 80
bistrot – AE GB
*fermé août, sam. midi et dim.* – **Repas** (nombre de couverts limité, prévenir) 85 (déj.), 185 bc/250 bc et carte 200 à 340.

X **Caves Petrissans** FG 45
30 bis av. Niel ✆ 42 27 83 84, Fax 40 54 87 56
, bistrot – AE GB
*fermé 29 juil. au 27 août, sam., dim. et fériés* – **Repas** 155 et carte 190 à 300.

X **Bistro du 17e** BY 7
108 av. Villiers ✆ 47 63 32 77, Fax 42 27 67 66
GB
**Repas** 165 bc.

X **Bistrot d'à Côté Flaubert** FG 29
10 r. G. Flaubert ✆ 42 67 05 81, Fax 47 63 40 77
AE GB
**Repas** 178 et carte 200 à 280.

X **Bistrot de l'Étoile** FH 7
13 r. Troyon ✆ 42 67 25 95
AE GB
*fermé sam. midi et dim.* – **Repas** carte 210 à 270.

# 18e 19e 20e arrondissements

## MONTMARTRE - LA VILLETTE
## BUTTES CHAUMONT
## BELLEVILLE - PÈRE LACHAISE

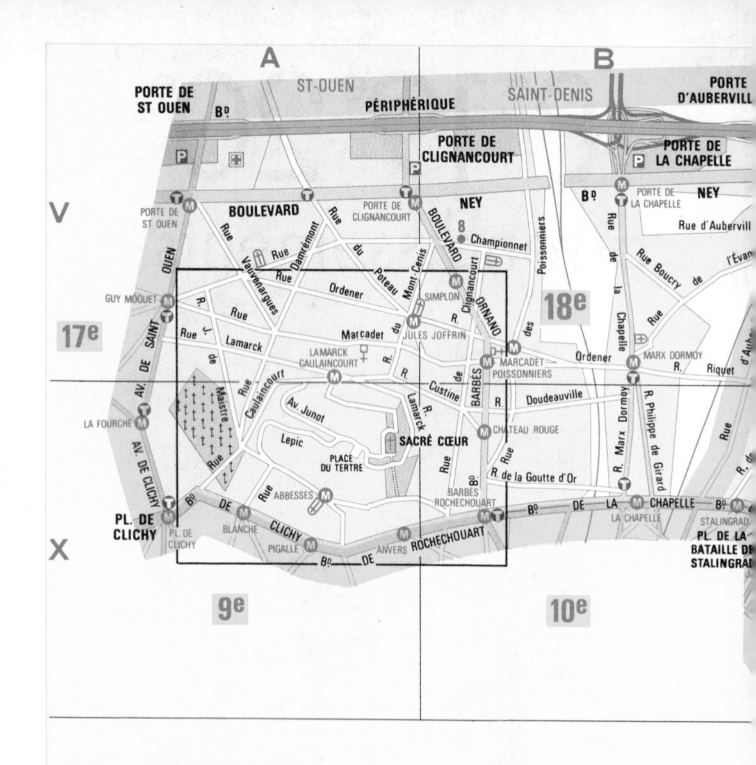

A
B
V
X
PORTE DE ST OUEN
ST-OUEN
PÉRIPHÉRIQUE
SAINT-DENIS
PORTE D'AUBERVILL
PORTE DE CLIGNANCOURT
PORTE DE LA CHAPELLE
BOULEVARD
NEY
17e
18e
9e
10e
SACRÉ CŒUR
PLACE DU TERTRE
PL. DE CLICHY
PL. DE LA BATAILLE DE STALINGRAD


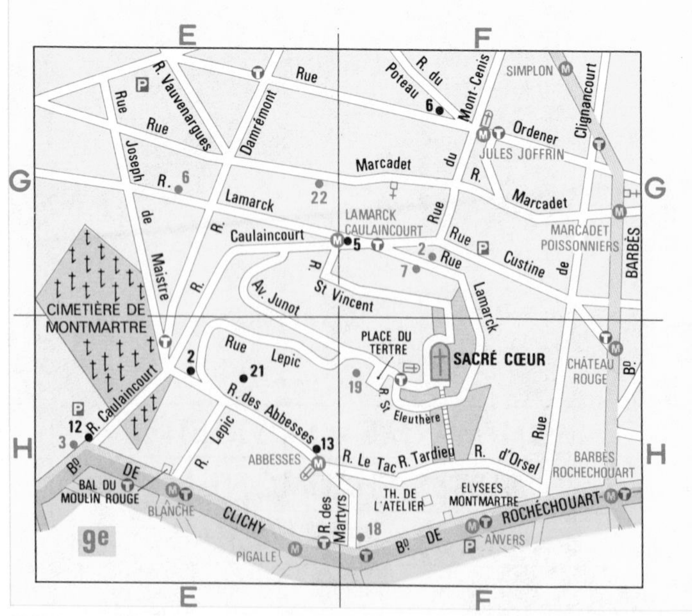

E
F
G
H
R. Vauvenargues
Rue Damrémont
Rue Ordener
R. du Poteau
Mont-Cenis
Rue Marcadet
Rue Joseph de Maistre
R. Lamarck
R. Caulaincourt
LAMARCK CAULAINCOURT
MARCADET POISSONNIERS
Rue Custine
Rue Lamarck
R. St Vincent
Av. Junot
Rue Lepic
R. des Abbesses
PLACE DU TERTRE
SACRÉ CŒUR
CIMETIÈRE DE MONTMARTRE
BAL DU MOULIN ROUGE
ABBESSES
R. Le Tac
R. Tardieu
R. d'Orsel
R. St Eleuthère
TH. DE L'ATELIER
ELYSEES MONTMARTRE
BARBÈS ROCHECHOUART
CHÂTEAU ROUGE
JULES JOFFRIN
SIMPLON
BLANCHE
PIGALLE
ANVERS
R. des Martyrs
Bd DE CLICHY
Bd DE ROCHECHOUART
9e

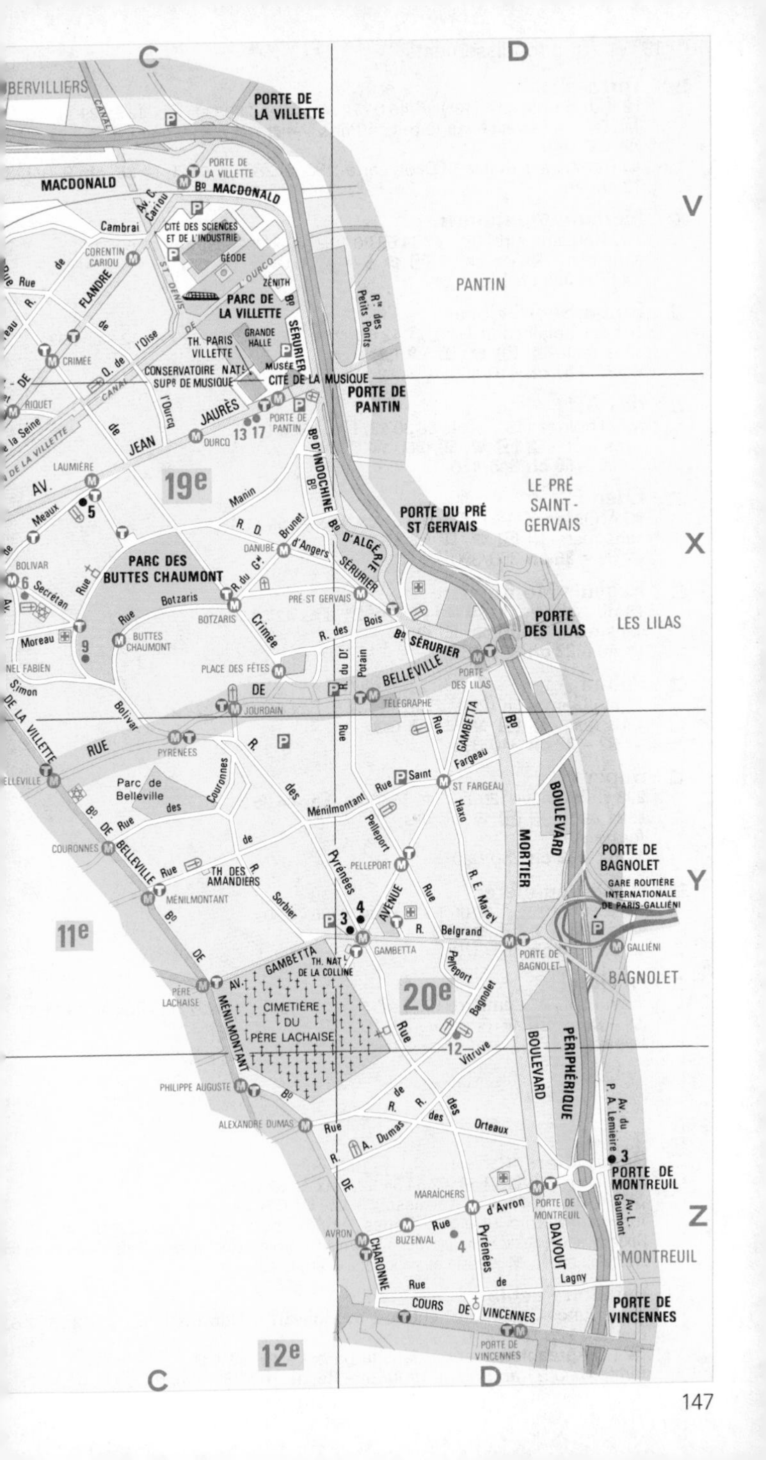

PORTE DE LA VILLETTE
MACDONALD
Bd MACDONALD
CITÉ DES SCIENCES ET DE L'INDUSTRIE
GÉODE
ZÉNITH
PARC DE LA VILLETTE
GRANDE HALLE
TH. PARIS VILLETTE
CONSERVATOIRE NATl SUPr DE MUSIQUE
MUSÉE
CITÉ DE LA MUSIQUE
PORTE DE PANTIN
PANTIN
19e
20e
11e
12e
PARC DES BUTTES CHAUMONT
PORTE DU PRÉ ST GERVAIS
LE PRÉ SAINT-GERVAIS
PORTE DES LILAS
LES LILAS
Parc de Belleville
PORTE DE BAGNOLET
GARE ROUTIÈRE INTERNATIONALE DE PARIS-GALLIÉNI
BAGNOLET
CIMETIÈRE DU PÈRE LACHAISE
TH. NATl DE LA COLLINE
BOULEVARD MORTIER
PÉRIPHÉRIQUE
PORTE DE MONTREUIL
MONTREUIL
PORTE DE VINCENNES
COURS DE VINCENNES
BOULEVARD DAVOUT

**Terrass'H.** EH
12 r. J. de Maistre (18e) ✆ 46 06 72 85, Télex 280830, Fax 42 52 29 11
M, « Terrasse sur le toit, ≤ Paris » – ch, rest – 90. GB JCB
***La Terrasse* : Repas** 160 et carte 190 à 280 – 75 – **88 ch** 930/1230
13 appart.

**Mercure Montmartre** EH
1 r. Caulaincourt (18e) ✆ 44 69 70 70, Télex 285605, Fax 44 69 71 72
sans rest – ch – 120. AE GB
68 – **308 ch** 710/770.

**Roma Sacré Coeur** FG
101 r. Caulaincourt (18e) ✆ 42 62 02 02, Télex 281671, Fax 42 54 34 92
sans rest – . AE GB JCB
37 – **57 ch** 410/430.

**des Arts** EH
5 r. Tholozé (18e) ✆ 46 06 30 52, Fax 46 06 10 83
sans rest – . AE GB.
30 – **50 ch** 345/470.

**Eden H.** FG
90 r. Ordener (18e) ✆ 42 64 61 63, Fax 42 64 11 43
sans rest – . AE GB
35 – **35 ch** 350/380.

**Regyn's Montmartre** EH
18 pl. Abbesses (18e) ✆ 42 54 45 21, Fax 42 23 76 69
sans rest – . AE GB
40 – **22 ch** 385/465.

**Palma** DY
77 av. Gambetta (20e) ✆ 46 36 13 65, Fax 46 36 03 27
sans rest – . AE GB
32 – **32 ch** 340/395.

**Super H.** DY
208 r. Pyrénées (20e) ✆ 46 36 97 48, Fax 46 36 26 10
sans rest – . AE GB
*fermé août*
32 – **32 ch** 280/500.

**H. Le Laumière** CX
4 r. Petit (19e) ✆ 42 06 10 77, Fax 42 06 72 50
sans rest – . GB
32 – **54 ch** 255/370.

**Al'Hôtel** DZ
2 av. Prof. A. Lemierre (20e) ✆ 43 63 16 16, Télex 232711, Fax 43 63 31 32
M – – 100. AE GB
**Repas** 90/125, enf. 39 – 35 – **325 ch** 440.

**Beauvilliers** (Carlier) FG
52 r. Lamarck (18e) ✆ 42 54 54 42, Fax 42 62 70 30
, « Décor original, terrasse » – . AE GB JCB.
*fermé lundi midi et dim.* – **Repas** 185/300 bc dîner à la carte 360 à 480
**Spéc.** Minestrone de Saint-Jacques à la tomate et au céleri (oct. à avril). Selle d'agneau en fine croûte au basilic. Millefeuille de chocolat à la pistache.

**Pavillon Puebla** CX
Parc Buttes-Chaumont, entrée : av Bolivar, r. Botzaris (19e) ✆ 42 08 92 62
Fax 42 39 83 16
, « Agréable situation dans le parc » – P. AE GB
*fermé 6 au 21 août, dim. et lundi* – **Repas** 180/230 et carte 300 à 410.

**MANUFACTURE FRANÇAISE DES PNEUMATIQUES MICHELIN**

Société en commandite par actions au capital de 2 000 000 000 de francs

Place des Carmes-Déchaux - 63 Clermont-Ferrand (France)

R.C.S. Clermont-Fd B 855 200 507



Dépôt légal Mars 95 - ISBN 2.06.006.859.2



Printed in the EC 02.95.30

Photocomposition : APS, Tours - Impression : MAURY-Imprimeurs, Malesherbes

Brochage : S.I.R.C., Marigny-le-Châtel

11
Paris
Plan
Répertoire des rues
Renseignements pratiques
Sens uniques · Bus · Métro · R.E.R.
Français, English, Deutsch, Español
Guide de Tourisme
MICHELIN
Paris
Guide de Tourisme
MICHELIN
Ile-de-France
Versailles
Fontainebleau
PNEU MICHELIN
101
Banlieue de Paris
Outskirts of Paris
DU PÉRIPHÉRIQUE
A LA FRANCILIENNE
Répertoire des localités
1/53 000 - 1 cm : 530 m
CARTE ROUTIÈRE ET TOURISTIQUE
MICHELIN